Je chante ce héros qui régna sur la France,
Et par droit de conquête,
et par droit de naissance ;

Qui par de longs malheurs apprit à gouverner,
Calma les factions, sut vaincre et pardonner,
Confondit et Mayenne, et la Ligue, et l'Ibère
Et fut de ses sujets le vainqueur et le père.

« Vous êtes nés Français, et je suis votre roi ;
Voilà vos ennemis, marchez, et suivez-moi ;
Ne perdez point de vue, au fort de la tempête,
Ce panache éclatant qui flotte sur ma tête. »

Il avoue, avec foi, que la religion
Est au-dessus de l'homme, et confond la raison.
Il reconnaît l'Église ici-bas combattue,
L'Église toujours une et partout étendue.

Les remparts ébranlés s'entrouvrent à sa voix ;
Il entre au nom de Dieu qui fait régner les rois.
Les ligueurs éperdus, et mettant bas les armes,
Sont aux pieds de Bourbon, les baignent de leurs larmes.

SOMMAIRE

HENRI IV
LE RÈGNE DE LA TOLÉRANCE

Jean-Paul Desprat et Jacques Thibau

DÉCOUVERTES GALLIMARD
HISTOIRE

Comment Henri, prince de Navarre, devient roi de France. C'est le récit de l'insertion d'un homme dans son siècle – le XVIᵉ siècle –, celui de la modernité de l'Europe et de l'Occident; c'est aussi l'histoire de ce siècle incarné dans un homme. S'il est « le seul roi de France à mériter le qualificatif d'exceptionnel », Henri IV le doit au talent qu'il eut de transformer en forces positives les antagonismes qu'il trouva dans son berceau – béarnais et capétien, protestant et catholique, provincial se devant de figurer à la cour de France.

CHAPITRE 1

UN PRINCE À L'ÉCOLE
DE LA DIFFÉRENCE, 1553-1567

Les armes d'Antoine de Bourbon et de Jeanne d'Albret (ci contre) « parlent » des multiples héritages qui doivent échoir au jeune Henri (à gauche, âgé de trois ans). Sur chacun des écus, en haut à gauche, les armes dominantes, les trois fleurs de lys de France barrées de la barre des cadets, les chaînes de Navarre; autour : Soissons, Beaumont, Vendôme, Alençon, Béarn, Foix.

Béarnais et capétien

C'est en Béarn que Jeanne, la mère du futur Henri IV,
a été contrainte par son père, Henri d'Albret,
roi de Navarre, veuf de Marguerite d'Angoulême,
sœur de François Ier, de venir accoucher, et c'est
par un chant béarnais qu'elle invoque le secours de
Dieu au moment où son fils vient au monde, dans
la nuit du 12 au 13 décembre 1553. Une fois l'enfant
heureusement né, « sans pleurer ni crier », Henri
d'Albret, qui s'est tenu pendant tout le temps qu'a
duré la naissance au chevet de sa fille, tend à celle-
ci « le testament bien amplement fait en sa faveur,
contenu en une boîte d'or ». « Voilà qui est à vous,
ma fille ! lui dit-il, mais ceci est à moi. » Aussitôt,
il emporte son petit-fils chez lui, sous son manteau,
là, lui frotte les lèvres d'ail et lui présente du vin
dans une coupe : « À l'odeur, ce petit prince branla
la tête comme peut faire un enfant, et alors le dit
seigneur roi lui dit : "Tu seras un vrai Béarnais !" »

❝Nouste-Daune
deù cap deù poun,
Adjudat-me
ad'aquest'hore
Pregats aù Diù deù
ceù
Qu'em bouille bié
deliaùra leù
Que'mon frut que
sorte dehore
D'u maynat am
hassie lou doun...❞
[« Notre-Dame
du Bout-du-Pont
Aidez-moi à cette
heure,
Priez le Dieu du ciel
Qu'il accepte de me
délivrer vite
Que mon fruit sorte
D'un garçon qu'il
me fasse don... »]
Chant béarnais

Pourtant, si Henri est béarnais, il est aussi, par filiation, prince du sang de France. Ces deux qualités feront l'originalité de son destin. Son père, Antoine de Bourbon, est en effet issu en ligne directe du sixième fils de Saint Louis, Robert de Clermont. Il est le chef de la maison cadette de Bourbon, celle des ducs de Vendôme, restée seule aînée après que la branche aînée s'est éteinte dans le déshonneur, en 1527, lorsque le connétable de Bourbon avait trouvé la mort en

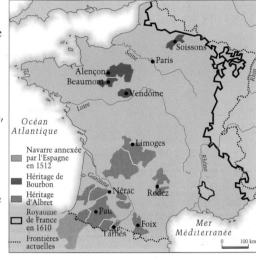

mettant Rome à sac pour le compte de Charles Quint. Il jouit, en tant que descendant de la lignée capétienne, du titre de « premier prince du sang ». Henri de Navarre, son fils, avant même qu'il ne devienne Henri IV, paraîtra inspiré par l'œuvre capétienne dont il sera le continuateur.

L'héritage maternel

L'héritage de Jeanne d'Albret couvre plus du tiers du Sud-Ouest. Il est complexe parce qu'il décrit à peu près toute la palette des situations de droit découlant de l'ancien système féodal : en Navarre et en Béarn, le père de Jeanne est souverain ; partout ailleurs, il dépend « de plus seigneur que lui ».

Les Albret, outre leur duché gascon, avaient acquis, par de subtiles alliances, les vastes comté de Périgord et vicomté de Limoges. Henri d'Albret, le fils de Jean et de Catherine de Foix, devait faire à son tour un mariage royal en épousant la sœur de François Iᵉʳ, Marguerite d'Angoulême, occasion d'agrandir encore le domaine des Foix-Albret. Cette princesse apportait en effet en dot les biens de son premier mari défunt, le duc d'Alençon, héritier

Les héritages d'Henri sont multiples. De son aïeul maternel, Gaston Phébus, il reçoit les restes de la vaste principauté pyrénéenne que celui-ci avait en vain tenté de constituer. C'est ainsi que lui revient la Navarre : royaume aux quatre cinquièmes espagnol, perdu en 1512 et dont il ne reste que l'*outreport* – « un balcon sur la France » – et un titre royal. Toujours par les Albret, il reçoit des droits importants sur les comtés de Limoges et Périgord. Du côté de son père, les Bourbons, ce sont de beaux morceaux du domaine capétien concédé par Saint Louis en Picardie (Soissons et Clermont) et le duché de Vendôme, acquis par mariage.

des puissants comtes d'Armagnac : les comtés
de Limagne (où s'établira la cour de Nérac),
de Fézensac, le vicomté des Quatre-Vallées
et les importants fiefs d'Armagnac et de Rodez.

Dans les deux pays, Béarn et Navarre française
(moins du quart de ses domaines), où Henri d'Albret
était souverain – pays qui n'étaient ni espagnols,
ni français et qui, selon la plaisante expression du
grand-père d'Henri IV, se trouvaient « comme une
puce entre deux ours » –, l'autorité des princes et
le génie des peuples s'étaient appliqués à fournir
des solutions politiques et institutionnelles
originales. Le Béarn jouissait de libertés quasi
« démocratiques ». Des fors, équivalent des *fueros*
espagnols, avaient été concédés, dans des temps
très reculés, par les rois wisigothiques. Ces fors
se rattachaient au temps « où il n'y avait pas
de seigneur », donc l'exercice de l'autorité du prince
était considéré comme découlant d'un contrat passé
directement par celui-ci avec son peuple,
et non comme une chose d'essence divine
ou naturelle. Les États de Béarn, composés de deux
chambres où siégeaient les délégués des villages,
avaient droit de contrôle et même de veto sur les

Marguerite de Navarre
ou d'Angoulême
(1492-1549 ; à gauche),
mère de Jeanne
d'Albret fit de la cour
de Navarre un foyer
de l'humanisme
catholique bienveillant
aux protestants.
Elle attira à Pau Robert
Estienne, Des Périers,
Marot, Rabelais
qui devait lui dédier
le *Tiers Livre*. Elle
composa elle-même
l'*Heptaméron*.

Henri d'Albret
(1503-1555 ; à droite),
fils des princes
couronnés à Pampelune
et presque aussitôt
chassés d'Espagne,
est l'héritier de Gaston
Phébus et des droits
sur le royaume
de Navarre dans
sa partie espagnole.

actes du vicomte et des évêques. Ces assemblées revendiquaient d'ailleurs hautement le pouvoir de déposer le seigneur qui faillirait au pacte conclu. Étrange leçon que méditera Henri en jetant les yeux sur la cour de France : en Béarn, ses aïeux puis lui-même ne devaient de compte qu'à Dieu et à leur peuple, non à des féodaux remuants et turbulents.

Une enfance provinciale

Sur les trente années qui s'écoulent entre la naissance d'Henri et sa position d'héritier du trône, vingt-deux sont provinciales. Elles se déroulent dans le Midi, plus précisément dans le Sud-Ouest qui déborde, au nord, sur le Limousin et, à l'est, du côté du Languedoc. Sa petite enfance est béarnaise : Pau, Coarraze, le Gave, la chaîne des Pyrénées, les ours qu'il chassera comme autrefois Gaston Phébus, son ancêtre.

La légende est ici proche de la réalité : des six ou sept premières années de son enfance, Henri gagnera le titre de « roi des paysans ». Il ne vit pas isolé, enfermé dans un cercle de courtisans — comme il l'eut été assurément si cinq princes mâles ne s'étaient trouvés placés entre le trône de France et lui – ; il est élevé loin de Paris et à la rude, comme un enfant du pays. Agrippa d'Aubigné le décrit « pieds nus et teste nue, bien souvent avec aussi peu de curiosité [d'instruction] que l'on nourrit les enfants des paysans ».

Le jeune Henri, à la tête d'une bande de garçons de son âge, bat les montagnes autour de Pau, traquant dès ses neuf ans le daim et le lapin, franchissant les gaves (ci-dessous, rentrant de la chasse). C'est là que l'héritier de Navarre acquiert les façons de « gentilhomme champestre » qui resteront les siennes, en totale opposition avec le mode de vie raffiné de ses cousins Valois que leur éducation a coupés du peuple et rendus maladifs. Tout au contraire, l'enfance d'Henri, au plus près de la nature, contribuera à lui donner un corps solide et une énergie à toute epreuve. « Élevé à la béarnaise, note Agrippa d'Aubigné – écrivain et compagnon d'armes du futur roi –, il forma un corps auquel le froid et le chaud, les labeurs immodérés et toutes sortes de peines n'ont pu apporter d'altération. »

Pour son meilleur biographe, Pierre de Vaissière (*Henri IV*, 1928), il retirera de ces premières années le caractère d'un méridional : « la vivacité et la promptitude d'esprit, l'activité, le goût de la vie extérieure, la cordialité, l'abord facile ».

Catholique et protestant (1553-1561)

Henri grandit avec les guerres de Religion qui divisent sa famille et son lignage. Il a reçu un baptême catholique administré par un proche parent, le cardinal d'Armagnac. Son parrain est son oncle, le cardinal de Bourbon, futur « roi » de la Ligue. À sa naissance, est fortement présente à Pau la

partie papiste de la lignée des Bourbons, celle qu'il retrouvera contre lui tout au long de sa vie. Cette force catholique n'est pas seulement celle de certains clans nobiliaires, elle imprègne la France profonde, celle des campagnes et des grandes villes (Paris, Lyon, Toulouse).

Mais au-dessus de son berceau s'est également penché le fantôme d'une fée prestigieuse, porteuse d'un autre héritage, celui que fera fructifier par préférence Henri IV.

Jeanne d'Albret (1528-1572), digne fille de sa mère, veilla aux « nourritures » de l'esprit de son fils – en français ou en béarnais : Henri sera un remarquable écrivain et c'est à sa mère qu'il devra aussi « la parole et l'éloquence très bonne ».

Quatre ans auparavant était morte Marguerite d'Angoulême, mère de Jeanne d'Albret. Attentive toute sa vie aux bouillonnements de la pensée de son siècle, elle a fait pénétrer l'architecture de la Renaissance dans les logis disparates du château de Pau. Ce qui l'intéressait, c'était de correspondre avec Calvin, trouver une voie

D'Antoine de Bourbon (1518-1562 ; à gauche), son fils héritera le courage et l'amour des femmes. Tous deux changeront souvent de religion mais ce qui sera dicté par l'intérêt supérieur chez Henri, l'est chez Antoine par la velléité : protestant un jour, rêvant de devenir le chef du parti huguenot ; catholique le lendemain, dans l'espoir que le pape lui fasse justice de la Navarre espagnole.

de conciliation entre humanistes et réformés, participer aux créations littéraires de son temps. Grâce à elle flottaient encore à Pau la mémoire de la tolérance et l'idée prometteuse d'un avenir convivial.

En 1558, Antoine de Bourbon est à la tête des 4 000 huguenots qui se réunissent au Pré-aux-Clercs, face au Louvre, en chantant des psaumes. Il incarne l'adhésion à la Réforme d'une large fraction de la noblesse : la famille de Bourbon regagne alors au moyen du protestantisme le prestige perdu depuis le naufrage de sa branche aînée en 1527. Antoine donne à son fils un précepteur tenté, à son instar, par le protestantisme : La Gaucherie.

Mais d'autres chimères, habilement entretenues par la Cour, vont bientôt s'offrir au jeune prince : reconquête de Pampelune, royauté de Sicile ; il va regagner très vite le parti catholique dans lequel il ne jouera en fait aucun rôle véritable.

Jeanne d'Albret prend presque aussitôt le relais de son mari. La fille de Marguerite d'Angoulême va jusqu'au bout des tentations de sa mère. De 1560 à sa mort, en 1572, elle va

Jeanne devient vite une farouche protestante. Dès 1560, elle se rend aux prêches de Paris où elle anime le zèle des fidèles (ci-dessous).

❝Commençant par la religion, je diray qu'il n'y a personne qui ne sache bien que depuis l'an 1560, il plut à Dieu par sa grâce me retirer de l'idolâtrie où j'étais plongée et me recevoir en son Église.❞

Jeanne d'Albret

déployer devant son fils la force de conviction de sa foi. Dans ces années 1560, où elle s'efforce de faire vivre ses deux enfants – Henri et Catherine – dans la confession de Calvin, elle ne participe pas à l'ouverture pratiquée par la régente Catherine de Médicis et son chancelier, Michel de L'Hospital. Elle s'en exclut même formellement par les mesures qu'elle prend pour proscrire la religion catholique de son comté de Béarn. Sans doute Jeanne, vivant exemple du rôle joué par les femmes dans la Réforme, a-t-elle besoin d'opposer sa rigueur et son austérité à la dégénérescence des Valois. Entre ce père qui suit les voies de l'opportunisme et cette mère celles de la conviction, Henri est placé dans le climat de la France du milieu du XVIᵉ siècle – au centre des antagonismes français. Il aura donc toute facilité pour appréhender cette réalité et même l'organiser parce qu'il l'aura vécue dans son univers familial dès la petite enfance.

Otage de la Cour et premier prince du sang (1561-1567)

Le couple désuni que forment ses parents (conjointement rois de Navarre depuis la mort d'Henri d'Albret en 1555) mène à deux reprises le jeune Henri, titré par son grand-père prince de Viane, à la cour de France : en 1556, alors qu'il a trois ans, et en 1561, alors qu'il en a huit.

Jeanne d'Albret (à gauche) – dont Henri II notait à l'époque de son mariage en 1548 qu'il « ne vit jamais mariée plus joyeuse que ceste-cy et ne fit jamais que rire… » – va devenir une femme austère du fait de ses infortunes conjugales mais aussi à cause de son adhésion passionnée à la foi réformée. D'elle, Agrippa d'Aubigné pourra écrire vers 1570 : « Ceste princesse n'ayant de femme que le sexe, l'âme entière ès choses viriles, l'esprit puissant aux grandes affaires, le cœur invincible aux adversités… » Elle transmettra à son fils nombre de ces qualités maîtresses. Il aura de plus la « conscience presque divinatoire » du destin de celui-ci, tout comme sa grand-mère, Louise de Savoie, avait pressenti le couronnement de son César – François Iᵉʳ –, né sans apparence de devoir régner.

Catherine de Médicis (1519-1589 ; page de droite) gouverna la France dès 1560 et pendant près d'un quart de siècle pour le compte de ses fils François II, Charles IX et Henri III. Elle s'opposa à Jeanne d'Albret, mais ces deux femmes exceptionnelles, guidées toutes deux par des intérêts supérieurs et souvent opposés, apprirent à se respecter.

Ce second séjour va durer sept années, essentielles à la formation de l'enfant.

Étrange monde que celui qu'il découvre à Paris. Catherine de Médicis, régente du royaume au nom de son fils Charles IX, s'efforce de tenir la balance égale entre les deux confessions : la guerre n'est pas encore ouverte et le conflit religieux demeure « convivial ». Le chancelier de L'Hospital cherche même à faire « dialoguer » les deux confessions, à les faire « cohabiter », mais la Conjuration d'Amboise, survenue deux ans plus tôt, a déjà montré jusqu'où pouvait aller le fanatisme des deux parties dans la surenchère de l'horreur et de la cruauté.

La veuve d'Henri II témoigne presque d'emblée une espèce de sympathie à la reine huguenote de Navarre – connivence de femmes-reines – dont subsistera la trace tout au long de leurs rapports, parfois très difficiles. Antoine de Bourbon reçoit pour sa part, en mars 1561, l'importante charge de lieutenant général qui lui procure le commandement de toutes les armées. Ainsi fixé définitivement dans l'orbite de la Cour, il ne reverra pas la Navarre.

Le petit prince de Viane est alors sous la coupe de sa mère qui passe le plus clair de son temps à courir les prêches huguenots de la capitale. C'est l'époque où Jeanne d'Albret annonce fièrement à la régente : « Madame, si j'avais mon fils et tout le royaume du monde dans la main, je les jetterai plutôt au fond de la mer que de perdre mon salut. » Le jeune Henri, de son côté, surnommé « Vendômet », à cause du duché de Vendôme qui appartient à son père, entreprend de convertir à sa religion ses cousins, tous plus ou moins âgés de dix ans

❝ Elle lui a parlé expressément, lui disant qu'il fallait qu'elle se détermine de vivre, elle et son fils, en la religion qu'ont observée ses prédécesseurs. **❞**

L'ambassadeur d'Espagne à propos de Catherine de Médicis en 1564

comme lui : le « roi morveux » (Charles IX), Anjou (le futur Henri III), et Henri de Lorraine (futur duc de Guise). Déjà, il fait œuvre de séduction. En février 1562, à la veille de la première guerre civile, la désunion des parents d'Henri est totale. Antoine relègue sa femme à Vendôme. Il garde auprès de lui son fils, renvoie La Gaucherie et lui donne pour précepteur Jean de Losse, « pour le divertir de sa

❝La Gaucherie, fort docte aux langues grecque et latine, les lui [Henri] enseigne par forme d'usage, sans préceptes, comme nous apprenons nos langues maternelles.**❞**

Palma-Cayet,
Chronologie, XVIᵉ siècle

religion et le nourrir en la romaine ». C'est alors, dans ce cadre catholique, que le prince de Viane fréquente épisodiquement le collège de Navarre, premier prince de France à être élevé au contact des bourgeois.

L'observateur d'une France déchirée mais pleine de promesses

Enfant du siècle de la Renaisance, Henri est doté d'une culture classique plus latine que grecque. L'une des bases de son instruction est l'œuvre de Plutarque, *La Vie des hommes illustres*. Amyot en a fait paraître la traduction alors qu'Henri avait six ans. C'est un enseignement pratique fait de hauts exemples, de vertus et de sagesse humaine, éloigné du fanatisme et de la complaisance. Peut-être le futur Henri IV apprend-il ainsi la manière et l'avantage qu'il y a à construire une image de caractère et de constance ?

Le 17 novembre 1562, Antoine de Bourbon, qui s'est mêlé de faire de son fils un catholique, succombe dans les bras de sa maîtresse après avoir été blessé au siège de Rouen. Durant les deux années qui suivent, Henri va se trouver orphelin : sa mère, qui s'est enfuie de Vendôme, est retournée à Pau où elle est étroitement contenue par les troupes de Blaise de Montluc ; elle a cependant, en accord avec Catherine de Médicis, décidé de laisser son fils à la Cour : il y sera le garant de ses bonnes intentions mais aussi un membre de la famille royale, en apprentissage de son métier de premier prince du sang. C'est un peu comme si la reine de Navarre pressentait dès cet instant que son fils devait

Au moment de le quitter pour l'envoyer à la cour de France, Jeanne (ci-dessous, au tombeau de son mari avec le jeune Henri) admoneste son fils, âgé de huit ans, « pour lui persuader de n'aller jamais à la messe, jusqu'à lui dire que s'il ne lui obéissait en cela, il pouvait s'assurer qu'elle le déshériterait ». Plus tard, dans ses *Mémoires*, elle constatera avec fierté : « Mon fils a été préservé, parmi tant d'assauts, en la pureté de sa religion. Ce n'est pas par prudence, force ou constance, car l'âge de huit ans ne pouvait lui apporter tout cela. À Dieu seul, donc, en soit la gloire ! »

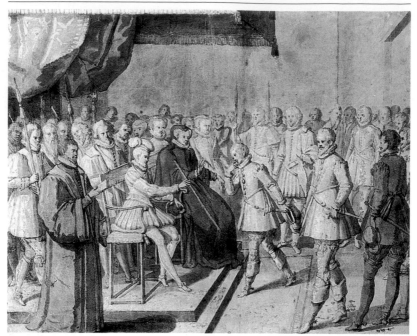

avoir un destin exceptionnel et comme si Catherine de Médicis en acceptait l'éventualité tout en commençant par élever « Vendômet » dans la crainte de ses cousins. Jeanne obtient toutefois de reprendre à distance la haute main sur l'éducation religieuse de son fils. La Gaucherie est rendu au prince.

La première guerre civile, qui a entraîné l'appel aux Anglais sur le sol de France, se termine dans une espèce de manifestation d'« union nationale », catholiques et protestants s'unissant pour repousser l'envahisseur hors du royaume. L'édit d'Amboise (19 mai 1563), inspiré par Michel de L'Hospital, est alors le premier d'une longue série de textes qui, jusqu'à l'édit de Nantes, tenteront d'organiser en France la coexistence des deux religions dans un même État. C'est le principal enseignement que retirera le jeune Henri de cette période où les Valois font encore œuvre de modernité avant d'être désorientés puis rendus impuissants par l'horreur de

Le 19 décembre 1562, a lieu la bataille de Dreux. Les catholiques, supérieurs en nombre, sont victorieux (ci-dessus, Catherine de Médicis à Dreux). Dans le Midi, les armées royales l'emportent également à Vergt, en octobre 1562. La régente, forte de ces succès, veut rétablir la paix. Elle pousse à la réconciliation. Le 26 décembre 1562, elle confirme le jeune Henri dans la charge de gouverneur de Guyenne détenue par son père qui vient de mourir. Elle lui confère, en outre, le titre d'amiral de cette province.

la guerre civile : la tolérance plutôt que la partition du royaume entre tenants de chacune des deux confessions.

Catherine de Médicis, de mars 1564 à février 1566, va profiter de la paix momentanément restaurée pour organiser un « voyage », véritable « tour de France ». Il s'agit de montrer le roi Charles IX à ses peuples, et réciproquement. C'est, dans l'histoire de la monarchie, l'unique exemple d'une vaste tournée de propagande. Le fils de la reine de Navarre « s'y montre courageux à se représenter au rang qui lui appartenait », occasion, dans une suite de réjouissances innombrables, de découvrir la richesse et la misère du

pays et de ses peuples. Henri IV ne reverra jamais aussi méthodiquement son royaume même lorsqu'il devra, par la suite, le traverser bien souvent en tous sens.

En janvier 1566, Jeanne d'Albret reparaît à Moulins avec la ferme intention de devenir « seule intendante de l'éducation de son fils ». Elle complète les leçons du « voyage » en emmenant Henri en Picardie visiter les comtés de Marle et de La Fère qu'il a hérités de son père, puis ses fiefs de Vendômois. À Paris, l'intransigeante huguenote conduit elle-même ses deux enfants dans l'atelier des Estienne afin de leur bien inculquer, en digne fille de Marguerite d'Angoulême, la leçon du pouvoir de l'imprimerie. Enfin, à l'automne 1566, elle décide de se retirer dans son premier royaume sans en avoir reçu l'autorisation de la régente. Cette dernière, furieuse, envoie ses troupes, mais le 1er février 1567, Jeanne et les siens parviennent sains et saufs à Pau.

❝Le prince de Navarre [ci-dessus vers 15 ans] étant arrivé avec Sa Majesté à Salon de Crau, en Provence où Nostradamus faisait sa demeure ; celui-ci pria son gouverneur qu'il pût voir ce prince. [...] Le prince étant nu à son lever, Nostradamus fut introduit dans sa chambre et l'ayant contemplé assez longtemps, il dit au gouverneur qu'il aurait tout l'héritage. « Et si Dieu, ajouta-il, vous fait grâce de vivre jusques là, vous aurez pour maître un roy de France et de Navarre. »❞

Pierre de l'Estoile, *Journal*, XVIe siècle

De 1568 à 1584, Henri, héritier de Navarre, va se trouver résolument dans l'orbite protestante, ce qui ne veut pas dire coupé de la cour de France puisque, dans ces années, le climat est au compromis. Il subit l'influence de celui qui sera son véritable maître, Coligny. À partir de 1584, devenu héritier du trône, Henri affirme la modernité que lui a inculquée celui-ci : il place l'unité du royaume et sa légitimité au-dessus de la querelle religieuse.

CHAPITRE 2

UN PROTESTANT HÉRITIER DU TRÔNE, 1568-1589

En juin 1565, les conférences de Bayonne entre les Français et les Espagnols – ces derniers très soucieux de l'intégrité du catholicisme se sont donnés pour mission de pourchasser les hérétiques dans toute l'Europe –, suscitent terreur et inquiétude chez les protestants. Dès lors, ceux-ci croient en un plan d'extermination des leurs, crainte qui va rallumer la guerre civile dès 1567 (à droite, la Saint-Barthélemy).

L'éveil à la modernité : Coligny

Henri ne demeure que quelques mois en Béarn. En 1568, sa mère le conduit à La Rochelle, capitale protestante. C'est l'époque de la troisième guerre de Religion, provoquée cette fois par la tentative de Condé d'enlever le roi. C'est aussi le moment où le jeune prince reçoit pleinement sa formation huguenote. Les défaites protestantes de Jarnac et de Moncontour en 1569, puis la « longue marche » entreprise avec Coligny pour sauver l'armée sont, en outre, pour le fils de Jeanne d'Albret autant d'étapes capitales dans sa formation à la guerre et au commandement.

Sans être, en 1570, ce personnage légendaire qu'il deviendra après la Saint-Barthélemy, l'amiral Gaspard de Coligny est depuis quinze ans en France l'incarnation de ce que l'on appellerait aujourd'hui la modernité. Le jeune Henri, placé sous sa tutelle de quatorze à dix-huit ans, va s'imprégner de cette modernité. Au plan militaire, Coligny n'est pas un grand tacticien. Sa responsabilité est entière dans

Avec Coligny (à droite), s'exerce une parenthèse de retour à la grande politique. Au Conseil du roi, celui-ci évoque la question de la fiscalité et du poids qu'elle fait peser sur la paysannerie, de même qu'il se montre préoccupé de ce que l'on appellerait aujourd'hui le développement des industries. Son attention, Coligny le visionnaire la porte plus loin encore, au-delà de l'océan, en Amérique, et vers les Pays-Bas, deux directions fondamentales pour l'histoire de la France, de l'Europe et de l'Occident. En 1570, Coligny veut redonner à la France une vraie puissance politique en allant sur place, à la tête d'une armée française, soutenir la révolte tout juste commencée des provinces protestantes des Flandres contre Philippe II d'Espagne. Le double objectif que poursuivra Henri IV est déjà présent dans cette politique : assurer la liberté de conscience par-delà le pré carré français et abaisser la maison d'Espagne qui prétend encore à la « monarchie universelle ». Charles IX encouragera par duplicité les projets de Coligny. Il ne lui déplaisait pas que les huguenots français aillent se faire tuer pour leurs frères flamands.

les terribles défaites de Jarnac et de Moncontour. Il a su cependant habilement, après ces revers, reconstituer ses forces. La « longue marche » de repli et de regroupement qu'il mène, le prince de Navarre à ses côtés (Henri a été présenté par sa mère et acclamé par l'armée comme chef du parti protestant à Tonnay-Charente après la mort de Condé à Jarnac), est une stratégie moderne. C'est avec Coligny que le futur Henri IV apprend à bouger les troupes, à les concentrer sur un point, à tirer le meilleur parti possible des armes modernes, les « armes savantes » : l'artillerie et les engins à feu.

Le périple accompli à l'intérieur du « croissant protestant » (octobre 1569-juin 1570) pour échapper à l'étau des armées royales refait faire à Henri de Navarre, à quatre années de distance, une partie du « voyage ». Que de contrastes, là encore, dans cette double approche de l'espace français : la confrontation du pays et de sa monarchie dans les fastes du premier périple, le face-à-face dramatique du pays et du protestantisme en état de guerre, dans le second. Henri aura à réunir ce qui peut paraître antagoniste et irréductible dans ces deux visions de la France.

Le succès de Coligny aboutit à la paix de Saint-Germain (août 1570). L'amiral qui, par son audace et sa science, a sauvé le parti protestant est appelé au gouvernement.

Lorsque le prince de Condé est tué à Jarnac (page de gauche), Henri de Navarre, son neveu, lui succède à la tête du parti protestant, sous la tutelle de Coligny. Sitôt après, la défaite de Moncontour conduit le jeune prince à parfaire ses études militaires (ci-dessous). Henri médite également, après ces terribles campagnes de 1569, sur les calamités de la guerre. Cela lui inspirera plus tard les ordonnances militaires par lesquelles il rendra les capitaines responsables de la conduite de leurs soldats, punissant de peines sévères le viol, la « picorée » (vol) et l'incendie des récoltes.

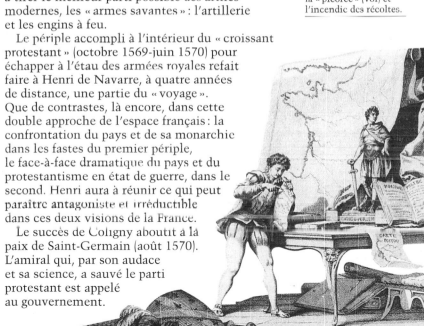

C'est le triomphe et l'apogée des huguenots en France. Jusqu'à la Saint-Barthélemy, Coligny va être le grand homme du Conseil royal, l'homme de la rigueur, le mentor du jeune Charles IX qui l'appelle « mon père », alors même qu'il demeure le tuteur du jeune Henri de Navarre. C'est dans cette parenthèse du « principat » de Coligny qu'Henri de Navarre, en avril 1571, retourne à La Rochelle pour la tenue du synode huguenot. Là, en présence des autorités de la religion – parmi lesquelles le théologien Théodore de Bèze –, le prince et sa mère sont les premiers signataires de la profession de foi qui reste de nos jours encore le credo de l'Église réformée française.

Le mariage entre deux princes de religions différentes se conclut sur de délicats compromis : Marguerite ne renoncera pas à sa foi ; Henri n'assistera pas à la messe de mariage ; le cardinal de Bourbon prononcera l'union non en tant que prêtre mais comme oncle du marié, le refus de dispense du pape ne pourra être allégué par aucun des deux partis pour rompre le mariage.

"Car s'il eut jamais une au monde plus parfaite en beauté, c'est la reyne de Navarre [...] et je crois que toutes celles qui seront et ont esté, près de la sienne sont laides tant ses traits sont beaux, ses linéaments bien tirés et ses yeux si transparents et agréables qu'il ne s'y peut rien trouver à dire, et, qui plus est, ce beau visage est fondé sur un corps de la plus belle superbe et riche taille qui se puisse voir, accompagné d'un port et d'une si grave majesté qu'on la prendra toujours pour une déesse du ciel plus que pour une princesse de la terre."

Brantôme,
Vie des dames illustres

C'est à ce moment aussi que se négocie le mariage – un mariage mixte et non autorisé par le pape – d'Henri et de Marguerite de Valois, la sœur du roi, qui a pour but de rapprocher les deux branches de la famille royale et de tenter de réaliser ainsi la fusion entre catholiques et protestants. Cette montée politique du protestantisme suscite cependant de très vives oppositions, plus ou moins fédérées par l'Église.

La Saint-Barthélemy ou l'expérience de l'horreur

Le mariage du roi de Navarre et de la sœur du roi de France est le détonateur de la Saint-Barthélemy. Présenté depuis des mois au peuple parisien comme « infernal », il a lieu le 18 août 1572 ; le massacre,

Dans *La Reine Margot*, Alexandre Dumas a évoqué l'inconduite de Marguerite (ci-dessus) qui lui vaudra d'être reléguée près de vingt années en Auvergne. Son mariage annulé, elle reviendra à Paris en 1605 et deviendra l'amie et la confidente d'Henri IV.

six jours plus tard – jour terrible,
« jour qui n'a pas existé », dira
Montaigne, comme pour en conjurer la
seule évocation. La Saint-Barthélemy
de Paris, dont la première victime
a été Coligny, est relayée par des
tragédies similaires en province
qui répètent les mêmes rites
« purificateurs » : noyade ou
brûlement des victimes, éviscération,
émasculation de leurs cadavres.
À Paris, il y a « préméditation »
monarchique, mais pas en province.
Le résultat est cependant le même :
le peuple fait irruption pour rendre
sa justice, rétablir la « vérité »
catholique, se substituer aux autorités
qui ont trop tergiversé. Cette journée
noire de l'histoire de la France aura
deux grandes conséquences. La
première fut un coup d'arrêt définitif
à l'essor du protestantisme en France,
emportant la marginalisation de son
influence politique (réalisation de l'un
des objectifs de Catherine de Médicis
et de ses conseillers) ; la seconde était
moins prévisible : le massacre allait
entraîner la déconsidération de la
monarchie et avoir pour conséquence
deux régicides successifs, Henri III en
1589 et Henri IV lui-même en 1610.
Le prestige de l'institution royale
n'allait finalement se restaurer
que dans l'œuvre volontariste
de restauration de la souveraineté
monarchique.

   Pour l'heure, celui qui est devenu
roi de Navarre depuis la mort de sa
mère, quelques semaines seulement
avant son mariage, et son cousin
Condé – dont les vies ont été
épargnées pendant le massacre par
la volonté royale et la protection

Coligny, blessé quelques jours plus tôt par un attentat commandité par l'entourage royal, est enlevé par ses assassins, et défenestré de son hôtel proche du Louvre. Son cadavre sera ensuite traîné pour être publiquement profané. Ci-contre, cette représentation, peu connue, évoque de façon saisissante le sort funeste de ce grand homme d'État.

de Marguerite de Valois – sont contraints de se faire catholiques : le second, malgré son entêtement et sa violence, consent à abjurer rapidement. Le roi de Navarre, quant à lui, découvre sa méthode : il oppose « une résistance plus souple », demande à être instruit dans la religion catholique et il se convertit quinze jours après son cousin, « de sa propre volonté ». Son désarroi est immense mais il parvient à ne rien trahir de ses sentiments.

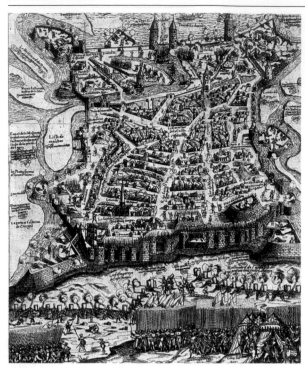

En 1573, Henri de Navarre est contraint par le duc d'Anjou (futur Henri III) à l'accompagner au siège de La Rochelle. Cette ville est la principale place forte du protestantisme en France, et son ouverture sur la mer la rend particulièrement menaçante. Le siège de La Rochelle (ci-contre) et la reprise de la guerre vont permettre aux politiques – catholiques et protestants modérés, défenseurs de la liberté de conscience – d'entrer en scène.

" Le roy de Navarre [...] faisant bonne mine et dissimulant ses déplaisirs avec un tel artifice qu'il ne semblait pas qu'il eust aucun ressentiment de ce qui s'était passé,

L'opportunisme...

Portraict de la Rochelle, et des Forteresses q̃ les Rebelles vont faict, depuis les pmiers. troub les iusque a pñt. . 1 5 7 3.

Avant la Saint-Barthélemy, Henri avait été à l'école de la rigueur avec Coligny ; après, dans la cour de Charles IX, désormais sans gouvernail, il est porté à l'opportunisme. Le roi de Navarre devient l'otage des commanditaires du massacre qui le contraignent à faire acte de catholicisme militant : d'abord en révoquant les ordonnances de sa mère qui avait fait du protestantisme la religion unique du Béarn ; ensuite en participant contre ses anciens coreligionnaires au siège de La Rochelle (avril-juin 1573).

Mais Henri est assez mûr, dès cette époque, pour se forger un jugement sur ceux qui le privent de sa liberté : il voit la monarchie des Valois épuisée,

s'accomodant avec tous ceux qu'il croyait mesmement estre ses ennemis, tellement il faisait le rieux et le bon compagnon que chacun estoit en cette opinion que ses pensées estaient du tout détournées du souvenir de ce qu'on lui avait fait souffrir. **"**
Villegomblain,
compagnon d'armes
d'Henri IV

sa tentative de régler la guerre religieuse par la force avortée et, faute d'imagination ou de courage, nul prince ou ministre en état de proposer une ouverture. En outre, ce sont à présent les intrigues qui tiennent lieu de politique et le fils de Jeanne d'Albret y participe plus ou moins. En 1574, il est en contact avec les Malcontents animés par Monsieur, duc d'Alençon, plus jeune frère d'Henri III (Charles IX est mort en mai). C'est le temps de l'apprentissage de la duplicité : le jeune otage ne rêve que de s'évader d'une Cour où le retiennent pourtant les plaisirs. C'est en effet aussi le temps de la révélation publique de la « verdeur » du jeune roi de Navarre.

... et la foi chez Henri de Navarre

En février 1576, enfin, Henri parvient à tromper la vigilance de sa belle-mère. Rendu à sa liberté, il refuse de rejoindre à Sedan son cousin Condé, « parce qu'il marche en tête d'une troupe d'Allemands ». Il gagne Alençon en compagnie d'Agrippa d'Aubigné et tous deux, tout en chevauchant, récitent un psaume, le psaume 21, signe d'un nouveau changement de religion : « Seigneur, le roi s'éjouira / D'avoir eu délivrance / Par ta grande puissance. »

Ce qu'on a l'habitude d'appeler les « palinodies » d'Henri, à savoir ses changements de religion, sont-elles la marque d'une absence de convictions religieuses ? Le fils de Jeanne d'Albret, « roi aux deux religions », ainsi que le surnomme Jacques Bainville, exprimera bientôt, sous l'influence de son compagnon Duplessis-Mornay, cette idée très moderne qu'il n'existe qu'une Église composée de toutes les religions chrétiennes et que l'on peut faire son salut dans l'une ou l'autre confession. La foi du futur Henri IV est protéiforme, elle n'en est pas moins profonde.

Henri prendra ses premières maîtresses quelques semaines seulement après son mariage, parmi les jeunes femmes qui composent la maison de son épouse. C'est à la fois le signe du désœuvrement d'un prince à qui l'on a rogné les griffes et la révélation de la mésentente de deux époux qui s'estiment mais ne s'accorderont jamais. De ces amours, il faut citer Mlle Rebours, la « petite Tignonville », et plus tard Diane d'Andoins, comtesse de Guiche, la belle Corisande (ci-dessous).

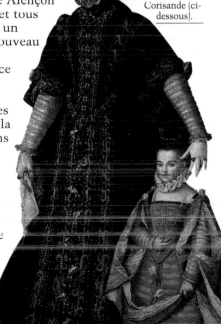

L'accomplissement du prince (1576-1584)

Des états généraux de Blois en 1576 jusqu'en 1585, le gouvernement est en proie à un affaiblissement extrême. Beaucoup de gens croient la royauté proche de sa fin. Dans cette période, qui correspond à un temps d'accalmie relatif des guerres civiles, Henri tient compte de cet affaiblissement. S'il l'utilise politiquement quelquefois, il respecte le principe de la souveraineté monarchique et surtout il s'efforce de ne pas susciter de nouvelles factions qui mettent à mal l'institution royale.

En 1576, le dialogue se renoue entre catholiques et protestants grâce à l'intelligence des deux Henri, celui de France (à gauche) et celui de Navarre (ci-dessus). L'édit de Beaulieu donne aux huguenots des avantages presque inespérés : libre exercice du culte dans toutes les villes sauf à Paris, création de chambres mi-partie dans les tribunaux – constituées de catholiques et de protestants –, cession de places de sûreté, dont le commandement est confié à des huguenots.

Henri III, le plus habile des fils de Catherine de Médicis, son préféré également mais qui saura lui tenir tête, porte ici le bonnet « à la polonaise », pays dont il a été roi avant de venir régner en France. Il aura à exercer son pouvoir durant le pire moment des guerres de Religion : paroxysme des passions et intervention espagnole.

Le roi de Navarre a vingt-trois ans lors de son évasion. Il attendra d'être à Niort, quatre mois après sa sortie de Paris, pour abjurer, revenir au sein de la Réforme et devenir ainsi le chef effectif du parti protestant. Entre-temps, seront signés la paix de Monsieur et l'édit de Beaulieu, qui donnent aux réformés de sérieuses garanties et restituent à Henri de Navarre la charge de gouverneur de Guyenne. Sa capitale, il ne l'installe ni à Bordeaux, ni à Toulouse, mais dans la petite ville de Nérac, où il demeurera jusqu'en 1585.

1576 est aussi l'année où débute la correspondance entre Henri III et Henri de Navarre et où s'établit d'emblée entre eux une certaine connivence qui portera ses fruits treize années plus tard. Navarre sait par-dessus tout concilier superbement sa politique à la tête du parti huguenot et son action en tant que gouverneur de Guyenne. Bien qu'héritier d'un pouvoir féodal, il ne fait jamais preuve d'un comportement « sécessionniste ». De 1576 à 1584, tout à l'opposé de Monsieur, le duc d'Alençon, il ne saisira aucune occasion pour constituer le plus petit apanage personnel. Toujours,

Nérac, au cœur des domaines d'Albret, était un magnifique château dominant la rivière de la Baïse. À l'époque où Henri s'y installe, le bâtiment se constituait d'un vaste quadrilatère flanqué de six tours, avec, au pied, le jardin du roi, planté de lauriers et d'orangers, et garni de belles fontaines. Il n'en subsiste aujourd'hui que l'aile nord datant du XVe siècle (ci-dessous). En outre, un pont unissait ce jardin à la rive droite où s'étendait la Garenne, un vaste parc rustique. Le jeune roi disposait aussi du château et du moulin de Barbaste près de Casteljaloux et se faisait appeler *Moulinié de Barbaste* (Meunier de Barbaste).

il entend préserver – il l'écrit et il le dit – l'unité nationale.

De la même façon, il saura résister aux prétentions des protestants, dont il est le chef, à organiser un véritable État dans l'État. À l'assemblée de Montauban de 1581, Henri de Navarre est proclamé protecteur de tous les réformés de France qui veulent en même temps le soumettre à une tutelle étroite par la multiplication des conseils et des instances. S'il en accepte habilement le principe, il en esquive la réalité et ne se laisse rien imposer non plus par les corporations des deux capitales huguenotes : Nîmes et Montauban.

Ainsi il ne cède pas à la facilité. Il ne contribue pas à la fondation d'un État des « Provinces Unies du Midi » qu'il lui aurait été facile de mettre sur pied à son profit. Par là, il est plus capétien que chef de parti, un peu comme s'il pressentait l'imminence de son destin national.

À la petite cour de Nérac, il reçoit toutes sortes de « députés », les contraint à vivre et même à travailler avec des catholiques, dont certains vont organiser le parti des « politiques » : l'amorce de cette idée remonte à la parenthèse glorieuse du « principat » de Coligny. Henri, très à l'aise dans cette sorte de compromis, adopte déjà le comportement qui conduira à l'édit de Nantes. Aux états généraux de 1576 qui s'étaient tenus sous la pression du parti catholique, Henri avait dépêché Duplessis-Mornay, porteur d'un très beau texte : *La Remontrance aux États de Blois pour la paix*.

Vers une souveraineté acceptée

Par l'équilibre harmonieux qu'il sait ménager entre ses fonctions de chef de parti et de représentant du roi de France en Guyenne, Henri de Navarre

Duplessis-Mornay, « le pape des huguenots » (à gauche), est né catholique et se convertit à l'âge de dix ans. Dans son *Traité de l'Église*, il soutient cette idée qu'Henri IV reprendra : l'Église est composée de toutes les Églises chrétiennes. Il devient l'un des chefs de l'Église protestante et participe à la rédaction de l'édit de Nantes. Retiré à Saumur, il reste fidèle à Henri IV, tout en inspirant les synodes huguenots et en servant de médiateur lors de certaines crises, comme en Béarn en 1621.

annonce le « souverain légitime » que définit Jean
Bodin dans ses six livres de *La République* (1576).
La République, « c'est la chose publique de tous » :
un gouvernement droit, conforme à certaines
valeurs de morale, de raison, de justice, d'ordre au
sens le plus élevé du terme. « Sans cette puissance
souveraine qui unit tout membre et partie d'icelle et
tous les mesnages et collèges en un corps, elle n'est
plus République. » La souveraineté est la force de
cohésion, d'union de la communauté publique, sans
laquelle celle-ci se disloquerait. C'est le risque que
court la France en 1580 et qu'Henri IV va écarter en
rétablissant une relation correcte entre gouvernants
et gouvernés. La souveraineté cristallise l'« échange
de commandement et obéissance » que la nature des
choses impose à tout groupe social qui veut vivre.

La souveraineté est une puissance absolue et
perpétuelle mais elle n'est pas arbitraire. Bodin

Dans *La Remontrance
aux États de Blois pour
la paix* (ci-dessus,
la séance au château
en 1576), Henri
de Navarre écrit :
« Il importe que tous,
maintenant,
gentilshommes,
ecclésiastiques,
marchands, laboureurs
s'accordent pour
demander l'observation
de la paix, que le
sceptre soit affermi,
le peuple remis au bon
repos et tranquillité. »
Plus loin, il affirme :
« Nous avons battu
nos frères en diverses
batailles, nous ne
les avons pas abattus. »

Horribles cruautez des Huguenots en France.

Cacher ne peut le mal qu'il porte en la poictrine
Le Tyran Huguenot; qui d'enuie mâtine
Se montrant comme Iuif ennemy du Seigneur,
Le prestre ayant forcé à celebrer la Messe,
Mysteres prophanant, & le batant sans cesse,
L'a mis finalement à la croix du Sauueur.

F 3

L'horreur n'a plus de camp : chacun des partis diffuse libelles et pamphlets pour dénoncer les crimes du parti adverse.

Aux conférences de Nérac en 1579, Henri doit à nouveau négocier avec Catherine, qui vient en Albret accompagnée de sa fille, Marguerite (ci-dessous). La paix de Bergerac, signée en 1577, tirant prétexte de certaines exactions protestantes, rogne sur les libertés rétablies par l'édit de Beaulieu. De 1578 à 1584, sans rompre avec la cour de France, le roi de Navarre discute pied à pied, négocie, cherche le compromis.

rejette la théorie du gouvernement mixte que certains protestants mettent en avant, de même qu'il écarte le modèle de la monarchie française aristocratique décrit par Machiavel. Il anéantit les doctrines qui, au profit apparent des noblesses ou des peuples, travaillent en réalité pour l'anarchie et qui voudraient faire du roi de France un simple « magistrat royal ». Bodin, plus de vingt ans avant que ne s'établisse la paix des consciences, bâtit la restauration de la République sur le rétablissement d'une souveraineté ferme et acceptée. Ce sera le programme d'Henri IV.

Mais veiller sur la couronne, c'est d'abord garantir son intégrité. En tant que chef du parti protestant, Henri se refuse à favoriser la moindre amputation du territoire français. Son envoyé, le comte de Ségur, affronte ainsi durement, à Brie-Comte-Robert en 1576, Condé, fils du premier prince de ce nom tué à Jarnac. Celui-ci, en échange de l'envoi de mercenaires destinés à renforcer les troupes huguenotes, voulait remettre au prince palatin, Jean-Casimir de Bavière, les Trois-Évêchés (Metz, Toul, Verdun), réunis à la couronne par Henri II.

Le refus de la conversion : l'unité et la légitimité plutôt que la paix (1584)

La mort de Monsieur, en juin 1584, fait du roi protestant de Navarre, par application de la loi salique, l'héritier du royaume catholique de France. Situation sans précédent, motif de scandale pour le pape et pour les catholiques ultras, menés par Henri de Guise. Du côté des huguenots, le danger n'est pas moins grand : leur cause sera-t-elle sacrifiée par le fils de Jeanne d'Albret à l'obtention de la couronne de France ? Entre ces deux clans, dont l'antagonisme s'exaspère brusquement, s'affirme de plus en plus ouvertement le tiers-parti, celui des « politiques », celui de ceux qui sont las des horreurs de la guerre civile et de l'effondrement économique qui en résulte. Pour eux, « prêts aux compromis pacifiques entre Rome et Genève pour vivre et laisser vivre », la paix et le retour à la prospérité ont plus d'importance que la querelle confessionnelle.

Pour l'heure, le duc de Guise réactive la Ligue catholique (la première avait été établie à Péronne en 1576). C'est une machine de guerre antihuguenote. Elle s'implante dans les villes du nord, soutenue par la bourgeoisie et le bas-clergé. Elle va bientôt, la misère du temps et

Henri de Guise (1550-1588 ; ci-dessus), dit le Balafré, est le fils de François de Guise (1519-1563), assassiné alors qu'il s'était imposé comme chef du parti catholique au début du conflit religieux. Les Guise dominent l'Europe catholique par leurs brillantes alliances écossaises et allemandes. Aux côtés de ses deux oncles cardinaux et de son frère, également cardinal, Henri devient tout naturellement en 1584 le chef de la Ligue catholique ressuscitée.

l'accroissement de la pression fiscale aidant (doublement de l'impôt de la taille entre 1576 et 1589), servir de forum aux idées antimonarchiques mises en forme par de savants théoriciens comme François Hotman ou Henri Estienne.

Henri III, parce qu'il exerce son autorité au premier chef sur les parties catholiques de son royaume situées au nord, est contraint d'adhérer à la Ligue : « Je suis leur chef, catholique comme il se doit, donc je les suis. » Cet enrôlement sans enthousiasme du roi s'accompagne de beaucoup de méfiance à l'égard de l'« ami », Henri de Guise, dont les ambitions sont sans bornes, et d'une hostilité déclarée à l'égard de ceux qui – comme l'ancienne régente, Catherine de Médicis – prônent le non-respect de la loi salique afin d'écarter le roi de Navarre. Henri III sait que la base forte du système monarchique c'est le principe de transmission naturelle et, sur cette question fondamentale, il a l'appui de son successeur auquel, dans un premier temps, il propose une reconnaissance officielle de ses droits sous réserve qu'il change de religion. Henri de Navarre refuse. Tout d'abord parce que l'héritier désigné privilégie l'unité : il entend ne pas effrayer les protestants et, par une défection trop rapide, ne pas fournir de prétexte à la sécession des « Provinces Unies du Midi ». Bientôt, il rejoindra le parti des « politiques » en justifiant son refus de se convertir par cette idée très moderne que sa légitimité dynastique est plus forte que son appartenance à l'une ou l'autre confession : « Les gens de bien auxquels je désire approuver mes actions m'aimeront trop mieux, affectionnant une religion que n'en ayant point du tout. Et ils auraient l'occasion de croire que je n'en eusse point s'ils me voyaient passer de l'une à l'autre. »

En 1576, Jean Bodin avait formulé la théorie de la souveraineté qui guidera Henri. Dans le même temps, *Les Essais* publiés par Montaigne (ci-dessous) entre 1580

et 1588 épousent de façon étonnante la vision du monde du futur roi de France : « Notre vie n'est que mouvement », écrit le philosophe gascon. « Ma vie est toujours en mouvement », lui répond le Gascon Henri IV. Concordance en cette fin de siècle entre le théoricien politique, le philosophe et le monarque : même mobilité du corps et de l'esprit, même enthousiasme pour explorer des voies nouvelles propres à refermer la parenthèse de l'horreur de trente années de guerres civiles.

L'alliance des deux rois ou la victoire des «bons Français» (1584-1589)

Lors des processions de la Ligue (ci-contre), moines, curés, prédicateurs et fanatiques de tout poil battent le pavé, défilent en grand tumulte, enrôlent et menacent les tièdes. Situation quasi révolutionnaire, ce moment est à l'opposé de ce qui se produira en 1789 : le fanatisme et la terreur sont tournés contre la modernité.

Le consensus tacite entre Henri III et son successeur sur l'application du principe de légitimité dynastique nécessitera quatre années d'efforts – années de tous les périls. Le roi de France est entraîné très loin par le parti des Guise et par la Ligue : il doit approuver le pacte de Nemours (juin 1585), scellé par la Ligue, qui déchoit Henri de Navarre de ses droits et accepter la condamnation de celui-ci par le pape Sixte Quint.

Le fils de Jeanne d'Albret, contraint de la sorte au combat, remporte l'éclatante victoire de Coutras

Coutras est la plus sanglante des victoires d'Henri IV (ci-dessous) : les deux chefs de l'armée royale – le duc de Joyeuse et son frère Saint-Sauveur – sont tués, ainsi que deux mille de leurs cavaliers.

(octobre 1587) mais il fait mine d'avoir vaincu les ligueurs plutôt que les troupes royales qui lui étaient opposées : « Je suis bien marri qu'en cette journée je ne puis faire différence des bons et naturels Français d'avec les partisans d'adhérents de la Ligue. » « Politiques » et bons Français sont ainsi nettement assimilés.

Saint-Denis étant aux mains de la Ligue, le corps d'Henri III est mené à Compiègne (ci-dessus). Il rejoindra la nécropole royale en 1610, quand on s'avisera qu'Henri IV ne peut y être déposé avant son prédécesseur.

La Ligue, après Coutras, se radicalise. Elle semble même échapper à la direction des Guise, surtout à Paris : antimonarchisme virulent, manifestations populaires hystériques sous l'impulsion de curés fanatiques animés d'idées pseudo-« républicaines » qui préfigurent 1793. Devant le désordre, Henri III ressaisit brusquement son autorité : il suscite une crise ministérielle (la première du genre) en renvoyant les ministres qu'il soupçonne d'être favorables aux Guise, ce qui lui vaut d'être lui-même chassé de Paris après émeutes et barricades (les premières également d'une longue série). Il en appelle à l'arbitrage du corps social par la convocation d'états généraux à Blois.

Les premières séances des états montrent à quel point les idées de la Ligue ont pénétré l'opinion. C'est un programme d'« autogestion avant la lettre » : les états entendent se saisir des questions fiscales et s'arroger le droit de pourvoir aux offices les plus considérables. Le danger c'est que ces pulsions « quasi démocratiques » ne sont qu'au service d'une seule cause : l'ultra-catholicisme.

Henri III, pris au piège des États, a le « sursaut monarchique » – celui qui, par des moyens monstrueux, va assurer la transmission régulière du pouvoir des Valois aux Bourbons. Il fait assassiner le duc de Guise et son frère (23 décembre 1588). Dès lors le chemin de l'alliance avec Henri de Navarre est ouvert. Henri de Navarre publie le 4 mars 1589 un *Manifeste aux trois États du royaume* dans lequel il proclame que « mû par le vrai sentiment des misères de son pays,

" Il voyait en mesme chambre, les mesmes personnages enfonçant leurs chapeaux, ou les jetant par terre, fermant le poing [...] faisant des vœux et promesses, desquels on oyait pour conclusion : plus tost mourir de mille morts, [...] se rendre à toutes sortes d'ennemis que de souffrir un roi huguenot. [...] Pouvez-vous lui

Le Roi reconnoît le Roi de navarre, pour son légitime Successeur.

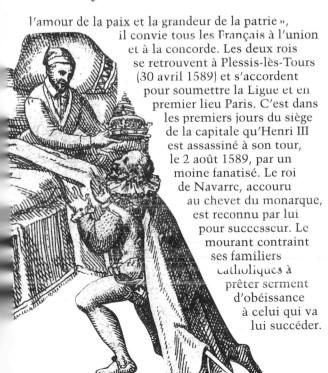

l'amour de la paix et la grandeur de la patrie », il convie tous les Français à l'union et à la concorde. Les deux rois se retrouvent à Plessis-lès-Tours (30 avril 1589) et s'accordent pour soumettre la Ligue et en premier lieu Paris. C'est dans les premiers jours du siège de la capitale qu'Henri III est assassiné à son tour, le 2 août 1589, par un moine fanatisé. Le roi de Navarre, accouru au chevet du monarque, est reconnu par lui pour successeur. Le mourant contraint ses familiers catholiques à prêter serment d'obéissance à celui qui va lui succéder.

disaient d'autre part ses conseillers, devenir catholique romain, sans violer laschement la foi et l'amour que vous avez si souvent jurés aux Réformés, vous, chef, abandonner vos membres ? [...] Ce que vous avez tant de fois refusé au souverain, pouvez-vous l'accorder à ceux qui ont été jusqu'ici ennemis ? [...] Ne doutez point d'ailleurs, qu'abandonnant votre ancien parti des Réformés, ils ne vous abandonnent tout aussitôt ? **"**
    Mathieu, premier biographe d'Henri IV, *Histoire de France*, 1617

Lorsqu'il reçoit la couronne de France (ci-contre), Henri sait que rien n'est gagné. Il se dit lui-même « roi sans couronne, général sans argent, mari sans femme ».

La violence des guerres de Religion fait oublier qu'Henri IV est l'héritier d'une monarchie dont les progrès, depuis Louis XI, sont allés de pair avec une politique continue d'ouverture. Une expression de son génie sera de comprendre qu'il faut renouer avec celle-ci et rompre avec la politique de force qui a fait la preuve de son impuissance. La Ligue des années 1589-1592 est anti-capétienne. Elle représente la plus rude secousse ressentie par la monarchie française jusqu'à la Révolution.

CHAPITRE 3

HENRI IV À LA CONQUÊTE DE SON ROYAUME, 1589-1598

Sans Henri IV (ci-contre, avec les attributs du sacre), la Ligue aurait pu emporter la monarchie. Le contraire se produit : le roi impose son pouvoir et sa légitimité (à gauche, allégorie d'Henri IV vainqueur de la Ligue). Quant à la Ligue, elle suscite une crainte durable de l'anarchie : « Elle discrédite, dira Michelet, l'idée républicaine pour deux siècles. »

Les batailles d'Arques (en 1589, ci-contre) et d'Ivry (en mars 1590) auraient pu sceller le destin d'Henri IV si elles lui avaient été contraires. Face à un ennemi supérieur en nombre, le roi montre son génie militaire et sa valeur personnelle : « Si vous perdez guidons, enseignes et drapeaux, ralliez-vous à mon panache blanc, vous le trouverez toujours sur le chemin de l'honneur et de la gloire ! » Ce chapeau « à panache orné d'une améthyste blanche et de perles » a bel et bien existé ; il avait été acheté cent écus, le 15 juin 1588.

Face au fanatisme, la fermeté (1589-1593)

La crise la plus rude depuis le début des guerres de Religion – le « paroxysme final » selon l'expression de Jean Delumeau – court des barricades de Paris en 1588 jusqu'à l'absolution d'Henri IV par le pape en 1595 ; c'est une des secousses majeures de l'histoire de France.

En assassinant le duc de Guise, Henri III s'était jeté dans la résistance au « parti catholique espagnol ». Mais la Ligue demeurait et confirmait son hostilité au roi Henri III et son union étroite avec l'Espagne. Désormais, il s'agit d'empêcher Henri IV d'exercer la royauté. Le pape reconnaît comme roi le cardinal de Bourbon, désigné par la Ligue, soutient le duc de Savoie contre la France et apporte une aide financière puissante à la Ligue.

Le moment est dangereux car, depuis 1588, tous les partis en présence sont contraints d'en appeler à la représentation par corps : synodes protestants, états généraux, assemblées de la Ligue...

Au début du règne, la révolte de la Ligue s'étend dans le Midi, des abords de l'Italie à l'océan Atlantique. De véritables guerres éclatent en Languedoc et en Provence. Comme de nombreuses autres grandes villes, Marseille choisit la Ligue. Pendant quatre années, Paris résiste passionnément à Henri IV. Pour que la Ligue soit battue, il fallait qu'elle se reconnaisse ou

soit reconnue impuissante à donner à la France un gouvernement régulier. Or, celui qu'elle proposait était chaotique. Charles X, son « roi », prisonnier du camp adverse, meurt. Les candidats au trône se bousculent comme si Henri IV n'existait pas. Le roi d'Espagne réclame la couronne pour sa fille Isabelle, petite-fille d'Henri II, comme s'il n'y avait pas de loi salique. Le duc de Savoie, petit-fils de François Ier, le duc de Lorraine se mettent sur les rangs, ainsi que Mayenne, le frère du duc de Guise, lui-même... Mais la Ligue avait les Seize représentant les seize quartiers de Paris, ligueurs fanatiques. Ils régnaient par la terreur, appliquant à leurs adversaires et surtout aux catholiques modérés les mesures classiques des révolutions : loi des suspects, saisie des biens des fugitifs, proscription, épuration des parlements (le premier président et deux conseillers du Parlement de Paris sont ainsi pendus pour « trahison », sans jugement).

Lorsque la légende rejoint la réalité : Henri IV, dans le long et infructueux siège de Paris, se laisse attendrir par la plainte des assiégés qui réclament du pain. Tout en maintenant la pression à l'égard des ligueurs, il permet que soient ravitaillés les habitants (ci-dessous, la scène dans une illustration du XIXe siècle). Le politique prépare ainsi une entrée triomphale dans la capitale, qui n'aura lieu que quatre ans plus tard.

« Je ne suis tant dissimulé, je dis rondement et sans feintise ce que j'ai sur le cœur. J'aurais tort de vous dire que je ne veuille point une paix générale. Je la veux, je la désire, afin de pouvoir élargir les limites de ce royaume [...]. Que si pour avoir une bataille je donnerai un doigt, pour la paix générale, j'en donnerai deux. [...] J'aime ma ville de Paris. C'est ma fille aînée, j'en suis jaloux. Je lui veux faire plus de bien, plus de grâce et de miséricorde qu'elle ne m'en demande [...]. Mais je veux qu'elle m'en sache gré et qu'elle doive ce bien à ma clémence et non au duc de Mayenne, ni au roy d'Espagne [...]. Davantage, ce que vous demandez de différer la capitulation et reddition de Paris jusques à une paix universelle [...] c'est chose préjudiable à ma ville de Paris qui ne peut attendre un si long terme. Il est desja mort tant de personnes de faim, que si elle attend encore huit ou dix jours, il en mourra dix ou vingt mille hommes, qui serait une estrange pitié. Je suis vrai père de mon peuple. »

Henri IV, Discours
aux représentants
de la ville de Paris
assiégée

De 1589 à 1593, Henri IV observe scrupuleusement les termes de sa déclaration du 4 août 1589, prise au lendemain de la mort d'Henri III. Il n'entrevoit pas la fin de la guerre civile par le triomphe d'une des deux factions en lutte, mais bien plutôt dans une entente entre elles. La monarchie est regardée par lui comme une autorité souveraine chargée de pacifier le pays. En ajournant sa conversion, c'est le droit du parti réformé à la pacification qu'il soutient, tout en laissant malgré tout entrevoir l'annonce de son prochain retour à la religion traditionnelle.

Face au catholicisme majoritaire, la souplesse (1593-1595)

L'hostilité de la Ligue à la seconde génération d'humanistes est forte. Étienne Pasquier ou Amyot en feront les frais. Ces intellectuels qui prolongent la Renaissance de la première moitié du siècle ont maintenu un climat « idéologique » favorable à l'action du roi et des « politiques ». En 1588, paraissent *Les Essais* de Montaigne, dans leur nouvelle édition, et les *Discours politiques et militaires* de François de la Noue. Ces œuvres expriment la nécessité impérative pour le pays de la tolérance et de la paix.

Le calvinisme, avec son organisation quasi étatique mise en place à La Rochelle en présence de Jeanne d'Albret et de son fils, va de son côté aider puissamment à l'établissement de cette « coexistence ». Le synode protestant a une base multi-régionale. C'est le premier exemple en France d'un parti, d'une organisation qui paye ses cotisations financières et répond aux contributions militaires ; c'est ce vaste réseau porté au point

Les premières images allégoriques au service de la monarchie, promises à une grande fortune, datent d'Henri IV. Ci-dessous, la « Ligue infernale » est représentée comme une gorgone au crâne hérissé de serpents. Elle tient les armes de l'Espagne auxquelles est suspendue la Toison d'or, allusion à l'intervention de Philippe II dans la guerre civile française. La Ligue est vêtue d'un froc monastique, allusion au rôle joué par les clercs réguliers dans le déchaînement du fanatisme catholique. En haut à droite de la gravure, Henri IV, représenté par l'alliance des armes de France et de Navarre s'apprête à frapper le monstre de son bras armé.

La gravure allégorique ci-contre montre Henri IV tenant la France par la main, et foulant aux pieds Jacques Clément (l'assassin d'Henri III), pourvu d'une queue de basilic. Elle évoque les représentations de guerriers terrassant un monstre, comme saint Michel et le dragon. La France est figurée sous les traits d'une femme couronnée, vêtue d'un manteau fleurdelisé. La grâce divine, en haut, soutient l'énergie royale.

Le duc de Mayenne (page de gauche, en haut), frère cadet du duc et du cardinal de Guise, tous deux assassinés à Blois sur ordre d'Henri III, reprend la tête de la Ligue. Bon soldat, bon politique, très vite en butte au fanatisme, il se prêtera d'autant plus facilement au compromis. Vaincu à Arques en 1589 et à Ivry l'année suivante par Henri IV, il se soumettra en 1595.

de perfection par Coligny qu'Henri IV sait utiliser. L'évolution de ce parti protestant, sous l'influence de Duplessis-Mornay, le conduit au royalisme et à la soumission à Henri IV : le souci de l'État prévaut sur celui de la religion. Les ménagements dont le roi de Navarre avait usé en 1584 à l'égard des huguenots portent leur fruit : il va pouvoir, dès 1593, parler sans scandale de son abjuration.

Au même moment, le parti ligueur dirigé par le duc de Mayenne, frère du défunt duc de Guise, se lie davantage avec l'Espagne. Des états généraux sont réunis à Paris en janvier 1593 pour procéder à l'élection d'un roi catholique : Mayenne propose sa propre candidature et l'archevêque de Reims celle du roi d'Espagne.

L'abjuration

En avril 1592, profitant de ses premiers succès militaires, Henri IV avait proposé l'expédient suivant : l'engagement de se faire instruire dans le catholicisme. Dès le lendemain de l'ouverture des états généraux (26 janvier 1593), dans une *Proposition* signée à Chartres, il offre de hâter son engagement, de se soumettre « au meilleur et plus prompt moyen pour parvenir à ladite instruction ».

Cette ouverture est saisie au bond par les « politiques » siégeant parmi les députés des états généraux, les plus « nationaux », ceux qu'indisposent l'intervention et les reproches d'ingratitude faits à l'encontre de leur assemblée par le roi d'Espagne. Le 4 février, les états acceptent de conférer avec les députés du « roi de Navarre ». Le 29 avril, les conférences entre délégués du roi et députés des états généraux s'ouvrent à Suresnes ; un accord se fait sur les caractères de la monarchie française : elle sera héréditaire et non pas élective, nationale et non pas étrangère. Le 16 mai, le roi s'engage à se convertir. Une assemblée de théologiens, selon la méthode qu'affectionne Henri, doit se tenir à Mantes pour son instruction. Le roi y donne encore des gages à ses amis huguenots en réfutant le dogme du purgatoire.

Le 25 juillet 1593, il effectue le « saut périlleux » en abjurant à Saint-Denis. C'est son sixième et dernier changement de religion.

La douleur des huguenots est grande. Elle se manifeste dans la *Lettre au Roy* de Duplessis. Les protestants inquiets demandent un statut spécial qui les garantisse politiquement et dans leur liberté de conscience.

Ne pouvant être sacré à Reims, ville traditionnelle du sacre royal, Henri reçoit l'huile sainte de l'onction à Chartres (à droite). L'ampoule sacrée n'était donc pas celle de Saint-Rémi de Reims mais une autre, conservée à Marmontiers, près de Tours. On écouta avec curiosité le serment du roi qui, conformément au cérémonial, « promit en bonne foi de chasser de sa juridiction et terres de sa sujetion tous hérétiques dénoncés par l'Église ».

La dynamique de l'abjuration joue à plein : Henri IV est sacré à Chartres le 27 février 1594 (Reims est aux mains de la Ligue); il entre dans Paris le 22 mars suivant. La clémence du roi à l'égard de ceux qui se rallient est immense; elle excède ceux qui le servent depuis toujours et qui se sont heurtés jusque-là à son avarice de montagnard béarnais. Ces nombreux ralliements coûtent extrêmement cher à un trésor déjà exsangue. pragmatisme du roi qui, son pouvoir assis sans conteste, sait payer le prix exorbitant de la paix.

Le roi doit abjurer (page suivante) avant d'être sacré. Après le sacre, il renoue avec la grande tradition de ses prédécesseurs : il touche les écrouelles (ci-contre), c'est-à-dire qu'il use du pouvoir de thaumaturge et de roi guérisseur reconnu aux Capétiens. Ce sont des scrofuleux qu'on lui présente, et qu'il touche en disant : « Le roi te touche, Dieu te guérit. »

"De vous conseiller d'aller à la messe, c'est chose que vous ne devez pas, ce me semble, attendre de moi, estant de la religion, mais bien vous dirai-je que c'est là le plus facile moyen pour renverser tous les monopoles [...]."
Sully au roi, 1593

À une dame de Paris venue le voir à Saint-Denis quelques jours avant son entrée dans la capitale le 22 mars 1594 (ci-contre), Henri IV demanda : « Vous direz à mes bons serviteurs de Paris qu'ils ne se lassent pas de bien faire, que pour moyenner toujours et faciliter leurs entreprises, je me tiendrai auprès de Paris avec forces et n'en bougerai [...]. Ce néanmoins, je désire avoir la paix, voire la veux acheter à tel prix que ce soit [...]. Je leur permettrai que de dix ans ils ne paient aucunes tailles, j'anoblirai le corps de ville et les maintiendrai en leurs anciens privilèges et religion [...]. Après cela que Paris songe à soi s'il veut [...]. Mon plus grand soin est et sera de rendre pour jamais heureux mes bons serviteurs [...]. S'il y en a d'autres qui me trahissent, Dieu est leur juge. »

Au soir de son entrée à Paris, Henri IV s'installe au Louvre inhabité depuis 1588. Trois semaines plus tard, désireux de renouer avec la politique fastueuse des Valois, il demande à ses architectes de lui fournir des projets pour la grande galerie qui doit joindre son palais aux Tuileries.

Face à l'Espagne, l'affirmation nationale par la guerre (1595-1598)

La guerre est déclarée à l'Espagne par Henri IV le 17 janvier 1595. Dans sa déclaration, le roi de France rappelle ses griefs contre Philippe II, lequel avait osé, « sous prétexte de piété, attenter ouvertement à la loyauté des Français envers leur naturel prince et souverain seigneur, de tous temps admirée entre toutes les autres nations du monde, poursuivant injustement et publiquement cette noble couronne pour lui et pour les siens ».

En 1559, par la paix de Cateau-Cambrésis, Henri II s'était hâté de terminer la lutte contre l'Espagne pour mieux se consacrer à la persécution des protestants. Vingt-cinq ans plus tard, c'est le contraire qui se produit. La guerre contre l'Espagne est conçue par Henri IV comme un facteur d'unité nationale où catholiques et protestants sont associés contre l'adversaire séculaire de la France.

La guerre, qui commence par un exploit d'Henri IV en Bourgogne, à Fontaine-Française, se déroule principalement en Artois et en Picardie. Les Espagnols y rencontrent de grands succès, prennent plusieurs places : Cambrai, Doullens, Calais

Maximilien de Béthune, duc de Sully, commence sa carrière auprès d'Henri IV dès le début de son règne (ci-contre, Henri IV et Sully à cheval). À partir de 1598, la paix établie, il sera chargé de superviser les finances. Henri IV disait de lui : « Il désire avec passion la gloire, l'honneur et la grandeur de moi et de mon royaume ; il n'a rien de malin dans le cœur, a l'esprit fort industrieux et fertile en expédients et grand ménager de mon bien. »

et surtout Amiens (mars 1597), s'ouvrant ainsi le chemin de Paris. La panique est grande dans la capitale. Henri IV, apprenant la chute de cette place, s'exclame : « C'est assez fait le roi de France, il est temps de faire le roi de Navarre. » Le sursaut royal et les prodiges déployés par Sully pour conduire à pied d'œuvre hommes et matériel aboutissent à la capitulation espagnole au terme d'un siège de six mois (septembre 1597). Le retour à l'obéissance de la capitale picarde est un des événements qui a fixé, de son vivant, la légende d'Henri IV. C'est un choc décisif dans l'opinion et une défaite pour Philippe II. Les négociations de paix peuvent s'engager.

Cette « victoire » va permettre l'édit de Nantes et donner sa cohérence à la politique belliqueuse d'Henri IV. La guerre avec l'Espagne aura été le moyen le plus sûr pour parfaire l'unité nationale et achever la reconquête par le roi de son royaume.

Fontaine-Française fut un combat d'avant-garde très inégal (ci-dessus) : le roi se lança dans la mêlée avec moins de trois cents chevaux alors que les armées espagnole et liguese en comptaient deux mille. « Armé d'une simple cuirasse », il se lance en avant et rompt la poussée foudroyante de l'ennemi ; il recule un instant, revient à la charge. Les Espagnols, qui craignent l'arrivée de renforts, décampent : c'est une gasconnade qui réussit, Henri IV n'attendant aucun secours.

Comment l'homme qui a mûri et grandi dans la violence parvient-il à poser le principe qui sauve la paix civile en même temps qu'il fonde la modernité – la tolérance ? En tant que principe opposé au monothéisme inquisitorial sur le modèle espagnol et à l'éclatement anti-fraternel de l'Empire – *Cujus regio, ejus religio –*, la tolérance est la voie originale qui va permettre l'essor de la France et assurer le succès de la monarchie qui en est l'initiatrice.

CHAPITRE 4

LA PAIX DES ARMES ET DES CONSCIENCES, 1598

L'*Allégorie du roi s'appuyant sur la religion pour donner la paix à son royaume* (à gauche) est une mise en image du contenu de l'édit de Nantes (à droite). L'édit apporte aux Français la paix des consciences, fondée sur la coexistence des deux confessions. La religion est une, mais elle tient à la fois le crucifix catholique et, sur ses genoux, la Bible, chère aux protestants.

L'édit de Nantes (avril 1598)

Henri IV devenu catholique (à gauche, signant la ratification de son abjuration) – redevenu catholique, devrait-on dire, puisqu'il était né dans la religion romaine – s'apprête à établir la liberté de conscience religieuse après quarante ans de troubles. Peut-être fallait-il avoir connu deux religions pour avoir la volonté et l'idée les faire cohabiter ? Henri en 1595 n'a pas en vue d'émanciper les calvinistes mais de les faire vivre « à côté » des catholiques majoritaires, avec des garanties qui compensent les inévitables faiblesses d'une situation minoritaire.

Devant le parlement de Toulouse, très opposé à l'édit, le roi défend le principe de l'accession des protestants aux charges publiques : « Je ne suis aveugle, j'y vois clair, je veux que ceux de la Religion vivent en paix en mon royaume et soient capables d'entrer aux charges, non pas pour ce qu'ils sont de la Religion mais d'autant qu'ils ont été fidèles serviteurs à moi et à la couronne de France. Je veux estre obéi, que mon édit soit publié et exécuté par tout mon royaume. Il est temps que nous tous, saouls de guerre, devenions sages à nos dépens. »

Catherine de Médicis et ses fils se sont montrés souvent hésitants, faisant de la France la proie des factions. S'ils ne changèrent jamais de religion, ils changèrent sans cesse de politique. La force d'Henri, après eux, sera, tout en changeant plusieurs fois de religion, de ne jamais changer de politique.

En accédant au trône, Henri IV avait promis de s'instruire sous un semestre dans la religion catholique (déclaration du 4 août 1589) mais il avait différé de tenir cet engagement pour ne pas effrayer les protestants qui constituaient alors ses principaux soutiens. En juillet 1591, par l'édit de Mantes, il avait redonné vie à l'édit de Poitiers de 1577 qui avait accordé à tous les Français la liberté de conscience tout en réglementant l'exercice du culte réformé. Mais la revendication des huguenots, dès ce temps-là, est celle de l'égalité de traitement stricte avec les catholiques ; aussi, peu après l'abjuration du roi qui les inquiète fortement, renforcent-ils leur organisation politique (assemblée de Sainte-Foy en mai 1594). Le pardon accordé par le pape à Henri IV (septembre 1595) avait dégradé un peu plus les rapports du roi avec ses anciens

coreligionnaires puisqu'il leur ôtait un gage important : l'éducation et la garde du troisième prince de Condé, âgé de sept ans, huguenot et alors héritier du trône, Henri IV et Marguerite de Valois n'ayant pas d'enfant. L'assemblée de Loudun (août 1597) avait appelé les officiers protestants à quitter l'armée royale au pire moment, alors qu'Amiens venait d'être reprise au roi par les Espagnols. Les envoyés d'Henri IV à cette assemblée durent négocier âprement à Saumur et l'un des négociateurs royaux, Schomberg, alla même au-delà de ce que le roi était disposé à accorder.

Mais, comme pour l'abjuration, Henri IV allait choisir son moment pour promulguer le statut de ses anciens coreligionnaires : il attend la décisive reprise d'Amiens et c'est sur le chemin de l'expédition entreprise pour mettre au pas le dernier grand ligueur (Mercœur, le gouverneur de Bretagne) qu'il signe le texte à Nantes, le 13 avril 1598.

En préambule, Henri IV exprime son regret de la non-réunion des catholiques et des protestants. Il prend acte de ce qu'il ne peut y avoir encore une seule forme de religion mais il réaffirme le caractère chrétien de chacune en proclamant que les fidèles de l'une et de l'autre invoquent Dieu « d'une même intention ».

Les « Églises réformées de France » sont organisées sur la base dogmatique d'une *Confession de foi* et sur le fondement institutionnel d'une *Discipline* qui jette les bases presbytériennes et synodales de l'église. À l'échelon local, l'église désigne des anciens qui forment le consitoire. Le colloque permet de résoudre les problèmes concernant plusieurs églises. Les synodes provinciaux traitent les affaires au niveau des dix-sept provinces. Enfin, l'instance suprême est le synode national auquel les synodes provinciaux dépêchent chacun deux pasteurs et deux anciens (ci-dessus, assemblée protestante réunie en colloque).

L'édit comporte tout un ensemble de textes dont certains sont secrets. Les cinq premiers articles intéressent tous les Français : les articles 1 et 2 établissent une amnistie générale de tous les faits survenus depuis 1585, les articles 3 à 5 rétablissent la religion catholique sans exclusive dans l'ensemble du royaume. La liberté de conscience est expressément accordée à tous les Français.

La suite du texte fonde le statut des protestants en leur accordant de constituer désormais un corps particulier, un « état » nouveau dans le royaume, ce qui emporte le droit de réunion en corps après autorisation royale. La liberté de culte est limitée aux hautes justices, villes et places où l'on professait la confession protestante en 1577, ainsi qu'à un ou deux faubourgs de ville par sénéchaussée. Les huguenots jouiront également d'un privilège de justice et de police et les procès auxquels ils seront appelés seront soumis à une chambre spéciale composée pour partie de conseillers réformés, la chambre de l'Édit.

Les protestants seront admis à tous les emplois publics, collèges et hôpitaux. Aux parlementaires toulousains qui s'indignent que des huguenots puissent accéder à ces fonctions publiques, Henri IV réplique : « J'aperçois bien que vous avez encore de l'Espagnol dans le ventre et qui donc voudrait croire que ceux qui ont exposé leur vie, bien et honneur pour la défense et conservation de ce royaume seront indignes des charges honorables et publiques. » L'admission des protestants aux charges publiques correspond bien à la méthode d'Henri IV. Jusqu'en 1610, l'« équipe gouvernementale »

C'est en allant mettre au pas le gouverneur de Bretagne, le dernier des grands ligueurs – le duc de Mercœur, autre membre de la famille de Lorraine –, qu'Henri IV, sur sa route, donne son édit (page de gauche; et ci-contre, l'entrée du roi à Nantes). L'édit de Nantes marque l'aboutissement et l'affermissement de l'idée de tolérance à la française, telle qu'elle s'était déjà profilée quelque quarante ans plus tôt dans les premiers textes de Michel de L'Hospital. Les victoires intérieures et extérieures d'Henri IV lui donnent la force d'imposer son texte, qui résulte de longues et patientes discussions entre les protagonistes des deux partis.

Devant les parlementaires venus au Louvre le 7 avril 1598, Henri IV se place dans la continuité des dernières années de conciliation d'Henri III : « Considérez que l'édit dont je vous parle est l'édit du feu Roy. Il est aussi le mien car il a été fait avec moi. Aujourd'hui que je le confirme je ne trouve pas bon d'avoir une chose en dessein et d'en écrire une autre. »

comprendra des réformés qui joueront un rôle de premier plan : Sully, Serres, Laffemas.

L'audace d'Henri IV : une « préconstitution » pour la France

À côté de ces dispositions qui fondent la liberté de conscience, il en est d'autres – beaucoup plus audacieuses – qui établissent la puissance politique des protestants. Ceux-ci reçoivent à peu près cent cinquante villes et bourgs du royaume pour huit années : places de sûreté où le roi assure l'entretien d'une garnison (Saumur, Niort, Châtellerault, Montpellier...), places de mariage où se trouve une garnison détachée d'une place de sûreté (Vitré, Sancerre...), villes royales aux mains des huguenots et gouvernées par eux selon les règles

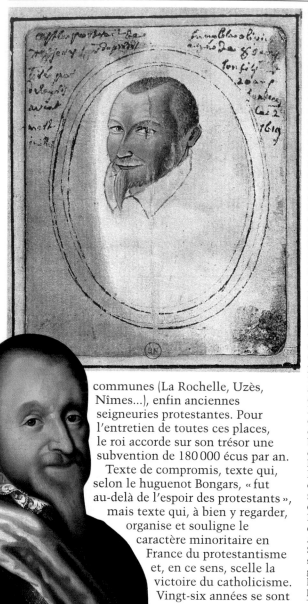

Il y a bien en France en 1598 une élite huguenote tournée vers les armes (Sully, Lesdiguières, Biron), mais aussi toute une pléiade d'hommes ingénieux et d'artistes. On peut citer entre autres Agrippa d'Aubigné (1552-1630; en bas), poète, homme de guerre, historien, et Olivier de Serres (1539-1619; ci-contre), agronome, à qui l'on doit le *Théâtre d'agriculture et mesnage des champs*, ainsi que l'introduction du mûrier, support de la sériciculture française. Dans le domaine de l'économie, Antoine de Montchrestien, l'un des pères de l'économie politique, et Barthélemy de Laffemas (1545-1611), l'homme qui, aux côtés de Sully, va remettre le royaume en état de marche et permettre que, parmi les fruits de la tolérance, se trouvent aussi ceux de la croissance et de la richesse. Dans le domaine des techniques, de l'architecture et des beaux-arts, Salomon de Caus (1576-1626), hydraulicien qui crée les premiers réseaux d'eau pour les jardins royaux et qui est sans doute, avant Denis Papin, le concepteur de la machine à vapeur; Androuet du Cerceau et Salomon de Brosse qui sont les architectes des grands projets royaux; les orfèvres Guillaume Dupré et François Briot.

commune (La Rochelle, Uzès, Nîmes...), enfin anciennes seigneuries protestantes. Pour l'entretien de toutes ces places, le roi accorde sur son trésor une subvention de 180 000 écus par an.

Texte de compromis, texte qui, selon le huguenot Bongars, « fut au-delà de l'espoir des protestants », mais texte qui, à bien y regarder, organise et souligne le caractère minoritaire en France du protestantisme et, en ce sens, scelle la victoire du catholicisme. Vingt-six années se sont écoulées depuis le moment où Coligny, au Conseil du roi, pouvait laisser penser que la France était en passe, tout comme l'Angleterre d'Henri VIII, de devenir une nation protestante. Mais le temps est aussi passé de la soumission du protestantisme par la force et la violence : en ce sens, c'est aussi une victoire des réformés.

Ici le réalisme d'Henri IV rejoint ses principes. C'est pourquoi il est un grand politique. Le réalisme consiste à reconnaître que le protestantisme ne peut plus submerger la France

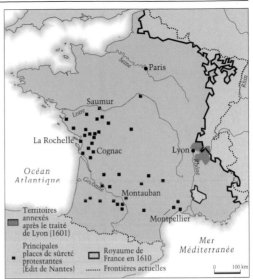

et c'est, *a contrario*, affirmer le caractère majoritaire du catholicisme. Mais la reconnaissance du protestantisme comme fait minoritaire appelle une tolérance réelle, une organisation *ad hoc*, elle accroît la pression en faveur des garanties.

Henri IV est par là très en avance sur son temps. Cette audace, cette modernité, ce souci permanent du compromis et de l'équilibre le placent incontestablement dans le camp des monarques tempérés. C'est la suppression des garanties politiques et militaires par Richelieu en 1629 (il ne subsistera alors que la liberté de conscience) qui engagera le régime monarchique dans la voie de l'absolutisme.

La paix de Vervins

Pour ce qui regarde la guerre avec l'Espagne, la paix, signée le 2 mai 1598, est ratifiée le 5 juin. Elle rend à Henri IV le royaume tel que l'avait délimité la paix de Cateau-Cambrésis en 1559. Les Espagnols restituent les places qu'ils occupaient, à l'exception de Cambrai, et conservent l'essentiel de la partie des Pays-Bas, qui deviendra plus tard la Belgique, et

L'édit de Nantes fixe le rapport des forces entre catholiques et protestants. La dévolution des places de sûreté avec leur garnison, des places de mariages et des villes royales correspond à d'anciennes implantations protestantes. Le culte est toutefois prohibé à Paris où réside la Cour. Il n'est autorisé qu'à Charenton où se rendent désormais en cortège, chaque dimanche, les protestants de la capitale.

qu'ils garderont jusqu'à la Révolution. Les dernières victoires françaises, notamment la reprise d'Amiens, obtenues grâce à l'unité nationale – c'est Mayenne, le ligueur « pardonné » qui s'empare de cette ville – n'empêchent pas Henri IV de vouloir la paix comme il a voulu la guerre trois ans auparavant. C'est la papauté qui va jouer le rôle essentiel dans les négociations. Depuis 1595, Clément VIII travaille à une réconciliation franco-espagnole qu'il estime nécessaire au salut de la France catholique. Après plusieurs décennies de suprématie espagnole, la papauté joue finalement, en cette fin du XVIe siècle, la carte de l'indépendance française. Clément VIII avait également négocié l'absolution d'Henri IV, accordée en septembre 1595 pour renforcer la position de ce dernier.

La paix de Vervins n'est en aucun cas une victoire territoriale mais elle modifie profondément en faveur de la France l'équilibre européen. La papauté, qui en cette fin de siècle retrouve sa puissance spirituelle et même temporelle, agit pour tempérer la puissance espagnole par la force française. Elle fait à cet égard des concessions et finalement elle accepte le principe des libertés gallicanes (libertés propres à l'Église de France) en tolérant la non-ratification par Henri IV et ses successeurs des articles du concile de Trente. Le concile de Trente, qui affirmait la reprise en main du catholicisme après l'ouragan de la Réforme, chargeait notamment les évêques de juger les imprimeurs et auteurs d'ouvrages scandaleux, de traquer les mariages non catholiques, de juger les clercs ; il refusait aux ecclésiastiques le droit de présenter à la justice

Clément VIII (en haut, à gauche), pape de 1592 à 1605, eut l'intelligence de désirer sincèrement la réconciliation des Français. Il leva les excommunications de Sixte-Quint et de Grégoire XIV qui frappaient Henri IV.

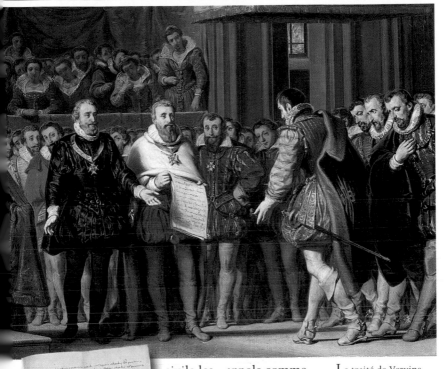

civile les « appels comme d'abus » des causes jugées par les tribunaux d'Église, toutes choses devenues incompatibles avec l'établissement en France de la liberté de conscience et l'affermissement de la souveraineté royale.

La paix avec l'Espagne c'est aussi la fin de la Ligue. Ce n'est pas un hasard mais la volonté d'Henri IV si la subversion interne contre le pouvoir légitime se termine par une guerre étrangère et l'annonce de la « victoire ». C'est un des chefs-d'œuvre du roi que d'avoir occulté la guerre civile par la guerre avec l'étranger.

Le traité de Vervins (ci-dessus, signature du traité ; à gauche, le traité lui-même) refixe les frontières définies par le traité de Cateau-Cambrésis en 1559, et replace ainsi la France dans la situation où elle se trouvait avant les guerres de Religion et l'intervention espagnole. Philippe II rend Calais et Doullens et conserve Cambrai. La France renonce aux positions qu'elle avait gagnées aux Pays-Bas au XVIᵉ siècle. La paix est générale, étendue au duché de Savoie.

Gabrielle d'Estrées (à gauche), très présente aux côtés d'Henri IV dans les années de conquête du trône, sera l'inspiratrice de l'abjuration, mais aussi le plus efficace relais des protestants qui craignent que le roi ne se soit détourné d'eux. Elle sera son grand amour, et lui donnera trois enfants qu'il légitimera et dotera richement. Gabrielle figure comme une reine dans tous les cortèges royaux de 1595 à 1599. A-t-il songé à l'épouser ? Il l'annonce en 1599 alors qu'il négocie secrètement son mariage avec Marie de Médicis. La favorite meurt opportunément – mort que des membres de l'entourage du roi auraient favorisée.

Henriette Balzac d'Entragues (ci-contre) devient la maîtresse d'Henri IV quelques semaines après la mort de Gabrielle. Ambitieuse, elle cherche, elle aussi, à se faire épouser avant l'arrivée de Marie de Médicis. Le mariage florentin conclu, le roi s'installera dans un ménage à trois et les enfants de l'une et de l'autre naîtront en même temps. En 1604, Henriette s'engagera dans une conspiration pour assurer la couronne à son fils ; ses complices seront condamnés, mais elle restera maîtresse du roi jusqu'en 1607.

Le mariage d'Henri et de Marie de Médicis est d'abord une question d'intérêt : la dette de la France à l'égard de la Toscane est en 1599 de 1 174 147 écus d'or, et la dot doit supprimer l'essentiel de cette créance. En contrepartie, les grands-ducs de Toscane auront l'honneur de donner pour la seconde fois une reine à la France. Le mariage est célébré le 5 octobre 1600 dans la cathédrale Sainte-Marie-des-Fleurs à Florence par le cardinal Aldobrandini, neveu du pape (page de gauche). Le grand-duc Ferdinand de Médicis, cousin de Marie, a reçu procuration d'Henri IV pour le représenter. La vie conjugale de Marie fut difficile mais elle fit ce qu'on attendait d'elle, donner au roi des enfants : un héritier, le futur Louis XIII, un second fils, Gaston, et trois filles qui seront reine d'Espagne, reine d'Angleterre et duchesse de Savoie.

C'est à la mort d'Henri IV que commencera, pour plus de vingt ans, le rôle politique de Marie de Médicis. Il a été diversement apprécié et les historiens d'aujourd'hui se montrent plus bienveillants avec elle. Elle eut le mérite de distinguer et de faire la carrière de Richelieu, contre qui elle se dressera ensuite.

L a Saint-Barthélemy a conduit les « politiques » à tenter de préciser la notion de souveraineté. Encore fallait-il lui retrouver une légitimité. Ce sera là l'une des œuvres majeures d'Henri IV qui va appuyer l'affirmation et la pratique de la tolérance sur l'idée de souveraineté et sur le principe héréditaire de la monarchie. Sa conception personnelle du pouvoir, conforme à son caractère, sera celle d'une monarchie tempérée.

CHAPITRE 5

LE MONARQUE DE PLÉNITUDE, 1598-1610

" Parce qu'ayant le cœur de mon peuple, j'en aurai ce que je voudrai et, si Dieu me prête encore vie, je ferai qu'il n'y aura point de laboureur en mon royaume qui n'ait le moyen d'avoir une poule dans son pot [...] et je ne laisserai point d'avoir des gens de guerre pour mettre à la raison tous ceux qui choqueront mon autorité. "

Henri IV
au duc de Savoie

La poule au pot.

Les fruits de la tolérance

C'est bien le cœur de l'édifice : la modernité française se bâtit sur le refus de la soumission de la France aux deux pôles idéologiques que sont Rome et Genève. Henri IV donne par l'édit de Nantes un fondement de principe et une réalité aux idées que Michel de L'Hospital et l'auteur anonyme du livre intitulé l'*Exhortation aux Princes*, paru en 1561, avaient déjà énoncées en leur temps quant à la séparation du religieux et du politique. Avec Henri IV, l'affirmation de la puissance souveraine jette les premières bases du laïcisme politique.

Le fait d'avoir conquis son royaume par son épée confère à Henri IV une autorité toute particulière. Après quarante ans de troubles terribles, il est le restaurateur de l'État. Dès 1594, quatre ans avant l'édit de Nantes, il prescrit par ordonnance la paix civile basée sur l'oubli de tous les griefs (ci-dessous). Par la suite Henri IV reste fidèle à ce principe. Il sera le

DE PAR LE ROY

SA MAIESTE' defirant reünir tous fes fubiectz, & les faire viure en bonne amytié & concorde, Notamment les Bourgeois & habitans de fa bône ville de Paris. VEVLT & entend que toutes chofes paffees & aduenuës depuis les troubles, foient oubliees.

La solution française aux affrontements religieux du XVIᵉ siècle est à l'opposé de celle appliquée en Espagne, où c'est l'unité religieuse qui cimente la souveraineté. En France, celle-ci s'impose aux discordes religieuses mais n'a pas pour objet de les supprimer de force pour rétablir un unanimisme impossible.

La réaffirmation du principe héréditaire par la restauration de la souveraineté incline à la personnalisation du pouvoir, que renforce considérablement Henri IV, dont l'action met un terme aux mesures hésitantes et désordonnées de ses prédécesseurs. Son utilisation de ce qu'on pourrait appeler les « médias » conforte cet aspect personnel du pouvoir qui demeurera après lui, pas forcément d'ailleurs dans la personne du roi : ainsi Richelieu, Mazarin, Louis XIV...

Il n'en reste pas moins qu'il serait anachronique de voir dans la souveraineté selon Henri IV la

bon maçon qui remet en état la maison. Son sens politique, sa mémoire prodigieuse, son optimisme, sa facilité de contact font merveille. Henri IV est « sur le terrain » comme jamais aucun roi ne l'a été depuis Saint Louis : « Mes prédécesseurs tenaient à deshonneur de savoir combien valait un teston. Mais, quant à moi, je voudrais savoir ce que vaut pite et combien de peine ont ces pauvres gens pour l'acquérir, afin qu'ils ne fussent chargés que selon leur portée [teston et pite étaient de petites monnaies]. »

À l'étranger, c'est aussi l'idée de tolérance qui, en l'autorisant à faire alliance avec les huguenots, va permettre à Henri IV de protéger son royaume. Si le « grand dessein » – cette conception d'une Europe presque fédérale telle que l'a développée tardivement Sully – n'a sans doute jamais existé, l'action du roi paraît guidée par un plan où équilibre européen et tolérance religieuse sont mêlés (ci-contre, allégorie de la Foi et de l'Espérance). Dès 1597, il propose aux puissances protestantes d'Allemagne de nouer des relations. Il y parviendra à la fin de son règne et l'expédition projetée en terres d'Empire à Clèves et à Juliers en 1610, dont seule sa mort interrompra le cours, marque l'aboutissement de cette politique. En effet, Henri IV était conscient du danger représenté par l'installation sur la rive gauche du Rhin de princes de la famille de Habsbourg, capables de construire l'unité allemande à leur profit. Par là il jette les bases de la politique de Richelieu et de Mazarin : obtenir pour la France la reconnaissance, qui lui sera acquise au traité de Westphalie (1648), d'une sorte de « protectorat » sur les évêchés catholiques et États protestants de l'Allemagne occidentale.

monarchie absolue, selon Louis XIV, son petit-fils. L'alliance de la tolérance et de la souveraineté établit à la base de la monarchie un climat qui explique que, même lorsque la royauté sera devenue absolue, la France du baroque puis du classicisme, puis de « la crise de la conscience européenne », puis des Lumières rayonnera dans la liberté de l'esprit. La révocation, en 1685, de ce qui subsistait de l'édit de Nantes n'entamera pas vraiment la prééminence que la France avait su acquérir grâce à Henri IV en matière de tolérance.

La restauration de l'autorité, préalable de l'exercice de la souveraineté, est la condition *sine qua non* de la fin des troubles. Bien entendu, elle conduit à des froissements « autoritaires » devant lesquels Henri IV ne recule pas. Ainsi, en septembre 1597, lors de la reprise d'Amiens, le roi supprima-t-il l'ancienne constitution municipale avec ses franchises et privilèges. Il organise sur de nouvelles bases l'administration communale, financière et militaire : le nombre des échevins est réduit de vingt-quatre à sept ; l'ancien « mayeur » élu est remplacé par un premier échevin au choix du roi ; les magistrats sont déchargés des questions militaires au profit d'un gouverneur spécialement institué ; la prévôté, avec la fiscalité y afférant, est réunie au domaine et la justice au bailliage. Henri IV justifie ces mesures par le refus exprimé par les Amiénois, avant l'arrivée des Espagnols, d'entretenir une garnison. Il s'agit bien d'une volonté de briser les libertés municipales à titre de représailles.

Le sentiment national

Le sens national d'Henri IV s'alimente dans le sentiment national des Français que les contemporains se plaisent à souligner depuis la guerre de Cent Ans et surtout Jeanne d'Arc. C'est précisément par l'appel à ce sentiment national dans la lutte contre les Espagnols qu'Henri IV sort du séisme religieux. Une fois signés l'édit de Nantes et la paix de Vervins, ses victoires sur le duc de Savoie lui permettent d'esquisser l'Hexagone. La réunion de la Bresse et du Bugey rapproche le pays des « frontières naturelles » dont parlera quelques années plus tard Richelieu. Il y a aussi tout ce qu'Henri IV apporte à titre personnel à la couronne : l'héritage des Bourbons et celui des Albret avec la couronne de Navarre. « Ce n'est pas la Navarre que je donne à la France, mais la France

Le sentiment national se renforce par le développement du culte royal (ci-contre, médaille à l'effigie d'Henri IV et Marie de Médicis). Le roi de France est oint comme l'a été le roi David dans la Bible. Certains « politiques » vont plus loin : ils pensent que le peuple français, uni autour du trône, est appelé par Dieu à quelque fabuleux destin, tout comme le peuple juif fut élu. C'est le moment où les élites puis le peuple des campagnes commencent à « prier pour le roi ».

que je donne à la Navarre », affirme toutefois
à l'usage de ses sujets pyrénéens Henri IV.

Ces acquisitions territoriales, le roi les justifie
par la communauté de langue française. « Il était
raisonnable, dit-il aux habitants des pays repris
à la Savoie, que puisque vous parlez naturellement
le français, vous fussiez sujets du roi de France. »

Le règne d'Henri IV correspond d'ailleurs
à un développement de la langue d'oïl. Il y a
« gasconisation » apparente de la Cour lorsque
reparaissent le Béarnais et ses verts compagnons
en 1589, mais presque aussitôt « dégasconisation »
au nom de l'unité. La diffusion de l'Ancien et du
Nouveau Testament en langue d'oïl, les nombreux
écrits pour la « défense et illustration » de la langue
française généralisent son usage, en particulier
dans le Midi parmi les élites. Son vocabulaire
s'enrichit alors de vieux mots du terroir, de termes
techniques et de néologismes d'origine latine
ou grecque.

À Fontainebleau,
le 27 septembre 1601,
neuf mois jour pour
jour après la première
rencontre du couple
royal, Marie de Médicis
mettait au monde
le futur Louis XIII
(ci-dessus). La liesse
était grande, il y avait
en effet quatre-vingts
ans qu'il n'était pas né
de Dauphin en France.
« Le roi, raconte la
nourrice de l'enfant,
levait les yeux au ciel,
ayant les mains jointes
et rendant grâce à
Dieu. Les larmes lui
roulaient sur la face
aussi grosses que
des pois. »

Le sens de l'État

La souveraineté a besoin d'un État et donc d'officiers que l'on appellerait aujourd'hui des fonctionnaires. Le théoricien Charles Loyseau utilise d'ailleurs déjà le terme de « fonction publique » pour définir l'office et la robe (le corps des officiers portant la robe). Les officiers sont au nombre de 25 000 en 1610 alors qu'ils n'étaient que 4 000 en 1515. Cet accroissement s'explique surtout parce que les gens de robe se sont substitués tout au long du XVIᵉ siècle à la noblesse d'ancienne origine qui remplissait précédemment ces fonctions mais sans en faire le « métier ».

Henri IV rééquilibre la charge de l'impôt qui jusque-là reposait principalement sur le peuple. Il renonce à recouvrer les tailles (impôt direct) en retard, et décide de réduire de plus de 10 % le poids de cet impôt. En revanche, il accroît la fiscalité indirecte qui frappe aussi les privilégiés, et crée la pancarte, ancêtre de la TVA, droit de 5 % sur les marchandises.

Henri IV va donner un caractère héréditaire aux offices avec la paulette, en décembre 1604 – une taxe annuelle représentant 1/60ᵉ de la valeur de l'office, défendue par Sully. Cela n'aboutit cependant pas à la privatisation du service de l'État : les officiers se recrutent au sein d'un groupe qui défend ses intérêts sans perdre de vue la morale et l'importance de ses responsabilités publiques. Ce groupe social compose le gros du bataillon des « politiques » tout en demeurant catholique sans ambiguïté. Ces officiers seront l'ordre, et donc la tolérance. Ils ne cesseront d'exprimer les libertés gallicanes comme un des principes fondamentaux des institutions françaises.

Sully (ci-dessus) est à la fois le Colbert et le Louvois d'Henri IV. Il commence par rééquilibrer un budget royal que les guerres civiles avaient mis à mal. Il fait rendre gorge aux financiers qui se sont enrichis et il procède au rachat des parties du domaine royal que les derniers Valois avaient dû engager pour faire face aux dépenses du conflit religieux. Sur ces bases assainies, il soutient le redressement agricole (80 % de l'activité). Comme grand voyer de France, il est l'homme qui intègre les grands travaux (constructions de canaux et de routes) dans le budget ; comme grand maître de l'artillerie, il est le rénovateur de l'armée, le reconstructeur des forces qui permettront à la France au milieu du XVIIᵉ siècle d'atteindre à l'hégémonie européenne.

Depuis Henri II, les rois avaient pris l'habitude de dépêcher dans les provinces des commissaires, surintendants de justice ou de finance, pour servir de « ministres » aux gouverneurs. Ils représentaient auprès d'eux la personne royale. Henri IV généralise ce recours aux commissaires : il les rend permanents en Languedoc et Lyonnais, envoie à partir de 1598 des commissaires spéciaux par tout le royaume pour veiller à l'exécution de l'édit de Nantes ; enfin et surtout, à partir de 1596, à l'initiative de Sully, il dépêche de nouveaux commissaires dans le cadre des généralités (circonscriptions financières) et non plus des gouvernements.

Ces commissaires, conseillers d'État et maîtres des comptes, dont la pépinière est le Parlement de Paris, sont déjà, par leur ressort territorial et le contenu de leur mission, les intendants de Richelieu et de Louis XIV et préfigurent l'ossature administrative de la France jusqu'à la Révolution.

Sully, surintendant des finances, assure les moyens financiers de la reconstruction. Le Trésor est chargé d'une énorme dette. Sully lamine sans scrupule les taux d'intérêt, retranche certains arrérages, rembourse beaucoup de rentes à vil prix, annule celles qui lui paraissent suspectes. Il fait exercer par l'État un droit de reprise sur la partie du domaine qui avait été aliénée. Il simplifie le système de perception des impôts et en améliore le rendement. Il établit le premier bilan clair des opérations du Trésor et de l'Épargne et réussit le tour de force d'équilibrer le budget de la monarchie et, même, de constituer pour le roi un trésor de guerre entreposé à la Bastille, ce, sans alourdir la pression fiscale au-delà de ce qu'elle avait été avant les guerres de Religion.

Le développement des richesses

La restauration de la souveraineté comprend aussi le redressement économique. Dans le textile, par exemple, la chute due aux guerres de Religion aurait été de 50 %. Certaines régions, comme le Languedoc, l'Auvergne et le Dauphiné, sont la proie de bandes de pillards. Les paysans du Sud-Ouest se sont soulevés en 1592, ceux du Comminges en 1594, les « croquants » du Limousin en 1595. La réduction de la part de la propriété des paysans est patente, les fermages sont à la hausse et la perception des dîmes par l'Église, une fois la paix revenue, reprend avec âpreté. Le début du règne d'Henri IV correspond à une époque de diminution de la part du produit laissé aux plus pauvres. C'est donc à une véritable reconstruction et pacification économique que doit

Henri IV réforme la justice de manière à la rendre accessible aux plus démunis et à assurer la cohésion du corps des magistrats qu'il regarde à juste titre comme l'un des principaux soutiens de la monarchie. Pour les plus démunis, il crée un corps d'avocats et de procureurs charitables (ci-dessous), jetant ainsi les bases de l'assistance judiciaire. À l'égard des magistrats qui ne pouvaient transmettre leur charge à leurs héritiers que de leur vivant sous peine de la perdre (cela entraînait de nombreuses horreurs comme le salage des cadavres jusqu'à l'accomplisssement des formalités), il crée la paulette, qui « autorise » cette transmission.

LES BONS ADVOCATS ET PROCVREVRS, ET ARBITRES CHARITABLES.

se livrer Henri IV. Son administration propose à la France – pour la première fois – une politique économique cohérente.

La légendaire « poule au pot » du roi ne doit pas occulter sa volonté réelle d'améliorer le sort des paysans. À ceux du Massif central qui s'étaient révoltés, il accorde son pardon et la remise des arriérés d'impôt. À partir de 1600, Sully réduit le montant des tailles pour tous les non-privilégiés. Henri IV lui-même s'inquiète du sort des communautés villageoises qu'il autorise moyennant finance à reprendre possession de leurs « usages » et de leurs domaines abandonnés pendant les troubles. Le Règlement général sur les tailles de mars 1600 supprime la contrainte solidaire des contribuables (obligation faite aux solvables de payer dans chaque village pour les insolvables).

Sully, Barthélemy de Laffemas et Olivier de Serres, tous trois protestants, sont les artisans de la politique mercantiliste de développement

L'histoire du meunier Michaud – chez qui Henri IV s'invite incognito (ci-dessus) – a été remise au goût du jour au XVIIIᵉ siècle par le dramaturge Collé. Elle est le signe de cette popularité dont Henri IV continuera de jouir auprès des Français, jusqu'à nourrir la légende. L'anecdote est toujours la même : sans se découvrir à eux, le roi interroge quelques-uns de ses plus humbles sujets sur ce qu'ils pensent de lui. La critique est souvent là, mais Henri, loin de s'en offusquer, félicite le compère pour son franc-parler.

industriel. L'État organise les industries pour diminuer la dépendance à l'égard des produits importés, principalement les produits de luxe qui nécessitent de faire sortir de grandes quantités de numéraire : tapisseries, soies, verres de type vénitien. Sur quarante-huit industries de ce type existant en 1610, quarante auront été créées sous le règne d'Henri IV.

Laffemas présente au roi un important programme de développement du commerce et des manufactures, veillant particulièrement à l'établissement des manufactures de soieries. Aidé par l'agronome Olivier de Serres, il cherche à installer dans les régions de Paris, Tours, Orléans et Lyon la culture du mûrier et l'élevage du ver à soie. L'entreprise ne rencontre de succès qu'en Languedoc et en Dauphiné mais le roi y participe personnellement. Il distribue à ses frais le livre d'Olivier de Serres, *Théâtre d'agriculture et mesnage des champs*, et oblige certains financiers à employer leurs capitaux pour la création de ces manufactures. Il installe également des tapissiers flamands au Louvre qu'il protège de l'hostilité des vieilles corporations de métier.

Il s'agit de retenir et d'attirer en France les espèces d'or et d'argent que le mercantilisme regardait comme la source unique de la prospérité matérielle et de la puissance militaire.

Dans cette entreprise de développement économique, Henri IV est entouré de protestants car la majorité catholique des élites du royaume

La première ordonnance encourageant la plantation des mûriers datait de 1544, donc de François Ier. Ce dernier avait décidé de faire transiter par Lyon la totalité des soies introduites en France. Quelque cinquante ans plus tard, Olivier de Serres propose à Henri IV la création d'une industrie de la soie. Il se heurte d'abord aux préventions de Sully qui, en huguenot austère, regarde une telle entreprise comme bonne « à encourager le luxe et corrompre les mœurs ». Le ministre du roi change finalement d'avis et, en tant que grand voyer, ordonne la plantation de mûriers au long des routes. La fièvre séricole s'empare ainsi des Cévennes. Les paysans arrachent l'arbre à pain (le châtaignier) pour planter l'arbre d'or (le mûrier). Dans cette région, les vieux mûriers s'appellent encore des « Sully ».

s'intéresse peu à ces formes nouvelles d'acquisition de la richesse. L'édit de Nantes fait participer cette élite moderne aux affaires du pays tout comme l'en détournera massivement, en 1685, sa révocation. L'apparition de nouvelles techniques va de pair avec cet intérêt : l'assurance maritime et la comptabilité en partie double naissent aux alentours de 1600 et l'État lui-même se sert de ces nouveaux outils économiques pour lancer les premiers emprunts publics.

Fastes et grands travaux

Du fait du renforcement du prestige royal et grâce à la création de ces richesses, Henri IV va renouer avec les traditions fastueuses des Valois et entourer la monarchie d'apparat. L'homme plutôt simple et négligé force son naturel : nulle fête de l'ancienne monarchie ne fut sans doute plus somptueuse, par

L'élevage du ver à soie est une grande entreprise nationale qui s'ébauche par la volonté royale. Il se fait sur des claies disposées dans des maisons spécialement aménagées et appelées magnaneries (ci-dessous), où les jeunes vers sont nourris de feuilles de mûriers. Les magnaneries produisent un fil de soie, et quelques-unes livrent de « petites étoffes ». Par ailleurs, Olivier de Serres – dont le roi conserve à son chevet les livres *Théâtre d'agriculture* (à gauche) et *Traité de la cueillette de la soie par les vers qui la font* – fait planter 20 000 pieds de mûriers dans les jardins royaux.

la richesse des costumes et des joyaux produits pour l'occasion, que celle donnée à Fontainebleau en 1606 pour le baptême du futur Louis XIII et de deux de ses sœurs.

Henri IV a du goût « pour les bâtiments et les riches ouvrages ». Pierre de Vaissière a pu parler dès 1927 d'une politique de « grands travaux ». Sur ce terrain, le roi s'efforce d'égaler son grand-oncle François Iᵉʳ. Il préfigure Louis XIV, son petit-fils. Il est le premier à envisager pour Paris un plan d'urbanisme tracé par rapport à la Seine. Dans ses palais, à Fontainebleau, à Saint-Germain, au Louvre, mais aussi dans

Dès le début de son règne, Henri IV renoue avec la politique brillante des Valois et le luxe de cour de Catherine de Médicis. La place Royale, future place des Vosges, (ci-dessus lors des fiançailles de Louis XIII en 1612) est la plus majestueuse de ses réalisations architecturales, avec ses trente-six pavillons sur arcades et, en son centre, un emplacement réservé pour la statue du roi. Elle fixe le modèle des grandes places royales de Paris et de province.

les demeures qu'il fait bâtir ou embellir pour ses maîtresses, à Montceaux et à Verneuil, il assemble des équipes d'artistes qui vont jeter les bases d'une seconde Renaissance française, marquée par la prédominance de l'influence flamande mais aussi du maniérisme italien, visible en particulier dans les grottes aux automates hydrauliques de Saint-Germain. Ce mécénat royal s'exerce aussi dans des genres auxquels le classicisme s'évertuera à fournir des règles : carrousels, ballets à thèmes avec machineries, qui mettent à contribution poètes, musiciens et ingénieurs. C'est le moment de grâce du baroque français.

Le disciple de Montaigne : père et éducateur

La modernité du « personnage » d'Henri IV éclaire son œuvre politique. La mémoire populaire, à juste titre, garde du premier Bourbon cette image du père se plaisant à s'amuser avec ses enfants.

À partir de 1594, Henri IV affirme sa volonté de faire de la capitale un centre politique et intellectuel. Il fait du Louvre une ville royale, aménageant une salle destinée à recevoir ses antiques, installant ses artistes dans la Grande Galerie édifiée le long de la Seine par ses architectes, Androuet du Cerceau et Métezeau. Désireux d'établir, entre le Louvre et les Tuileries, un vaste complexe de cours (ci-dessus, projet du grand dessein d'Henri IV), il n'aura cependant pas le temps de le réaliser.

Henri IV, d'emblée, force son naturel de paysan pour renouer avec le grand cérémonial de la Cour, dont les dernières dispositions avaient été fixées sous Henri III. Ici, le repas du roi est servi en forêt de Fontainebleau. Aux côtés d'Henri IV, sont réunis Marie de Médicis, le Dauphin (futur Louis XIII) et Madame Élisabeth, (future reine d'Espagne et future mère de Marie-Thérèse, femme de Louis XIV). En attendant l'arrivée d'un service, le roi travaille et signe les documents qu'un ministre lui présente. Plusieurs services, en effet, se succèdent, entrecoupés d'entremets; les plats qui arrivent tous en même temps vont être posés sur la table où chacun se servira à sa guise. Ce cérémonial ne variera guère jusqu'à la Révolution. On mange avec les doigts: la fourchette, qui avait fait une timide apparition sous Henri III, ne sera véritablement en usage qu'au XVIIIe siècle. Le maître d'hôtel donne l'ordre des services; pour celui des rôtis, il annonce: « La viande du roi! » Les serviteurs sont des gentilshommes qui portent l'épée au côté. La noblesse se bouscule pour servir le roi, oint de Dieu, et ainsi participer au culte monarchique.

On le représente volontiers les portant sur son dos,
devant des diplomates médusés, ou promenant des
marmots encore en nourrice à travers les galeries
de ses palais. Henri IV est sans doute le premier
personnage royal à marquer de l'intérêt pour de tout
petits enfants alors que l'usage du temps – du fait
de la très forte mortalité infantile – réfrène les élans
d'affection envers ceux qui n'ont pas passé huit ans.
L'autre nouveauté, c'est que le roi va élever ses
enfants légitimes (les trois fils et les trois filles
nés de son union avec Marie de Médicis) avec

Henri IV était souvent
représenté jouant
avec ses enfants. On
rapporte cette anecdote
plaisante où le roi
surpris par un
diplomate se serait
exclamé : « – Monsieur
l'ambassadeur, avez-
vous des enfants ?
– Oui, sire. – En ce cas
je puis achever le tour
de la chambre. »

ses bâtards (trois enfants de Gabrielle d'Estrées, trois d'Henriette d'Entragues, deux de Charlotte des Essarts). Tous seront « nourris » ensemble dans une vaste pouponnière royale installée au château de Saint-Germain-en-Laye. Sur cette curieuse expérience que n'auraient pas désavouée les esprits les plus éclairés du XVIIIe siècle – Marivaux ou Jean-Jacques Rousseau –, un document passionnant subsiste : le journal du médecin Héroard qui, jour après jour, a tenu la chronique de la petite troupe royale. On y voit que tous les enfants légitimes et illégitimes y sont élevés dans le sentiment du respect dû à l'héritier du trône, le futur Louis XIII. Le roi s'efforce en revanche de compenser une sévérité nécessaire à la paix publique à venir par le redoublement des marques d'affection prodiguées à ses autres enfants, en particulier César de Vendôme, l'aîné de tous, qui apparaît comme son favori.

Le destin tragique : les opposants, la mort (1610)

La révolte des factieux est marquée par l'archaïsme. La conjuration de Biron en 1602 est à cet égard exemplaire. Biron, fidèle compagnon « rêvait de faire la loi aux félicités du monde ». Il dissimulait

Henri IV sera quatorze fois père en quinze ans. César de Vendôme (au milieu), le premier fils qu'il ait eu de Gabrielle d'Estrées en 1594, aura une place particulière dans son cœur. Il le légitimera et, dix jours avant son assassinat, lui donnera un rang intermédiaire entre les ducs et les princes de sang « pour avoir l'honneur d'être sorti de nous ». Toutefois le roi veillera à ce que le Dauphin (1601-1643 ; à droite) ait le premier rang : petit fauteuil pour lui, tabourets pour ses frères et sœurs, officiers nombreux à son service. Ce sont là des marques destinées à apprendre le respect aux jeunes princes, en particulier au cadet légitime, Gaston, duc d'Orléans (1608-1660 ; à gauche).

sa culture qui était vaste « car il disait que pour s'accommoder au siècle il fallait plutôt avoir la réputation de brutal que celle d'homme qui avait la connaissance des belles lettres ». Par pure ambition, Biron s'était mis à trahir son maître au profit de l'Espagne. Il n'était plus de son temps et Henri IV, malgré ses efforts pour le sauver, le laissa aller à son destin au nom de la raison d'État.

Les trahisons du comte d'Auvergne et du duc de Bouillon, que l'exemple du châtiment infligé à Biron ne décourage pas de se lancer à leur tour dans la rébellion en 1605, montrent combien la construction de l'État royal introduit de rupture après trente années de guerres civiles qui avaient laissé le champ libre à l'ambition égocentrique de quelques audacieux personnages.

La question de savoir si la main de Ravaillac a été armée par un parti puissant opposé à la politique d'Henri IV demeure ouverte. De fortes présomptions pèsent sur le duc d'Épernon – le turbulent favori d'Henri III, qui n'avait rallié son successeur qu'à contrecœur et en monnayant au prix fort son soutien – et sur Henriette de Balzac d'Entragues – la maîtresse royale, finalement supplantée dans le cœur d'Henri IV par Charlotte de Montmorency, princesse de Condé, jeune épouse de celui qui avait été l'héritier du trône jusqu'en 1601. Certains historiens sont allés jusqu'à soupçonner Marie de Médicis d'avoir été de mèche avec Épernon.

Au-delà des hypothèses, il existe deux certitudes. La première, c'est que le roi de la tolérance est assassiné au nom du fanatisme. C'est l'intolérance religieuse qui arme le bras de Ravaillac. La paix civile restaurée, les ultras continuent de regretter l'absence d'unanimisme religieux.

Cette effigie funéraire en cire d'Henri IV (en bas, réalisée en 1610) incarne bien ce monarque de plénitude qui a tant œuvré pour conquérir son royaume et qui, par sa politique de tolérance, a su recueillir les fruits de son labeur. Tout semble s'ouvrir heureusement devant lui. La maison est rebâtie, les plaies civiles pansées, et la prospérité retrouvée. Comme sous Saint Louis, où un bon roi avait fait le bonheur d'un royaume peuplé et prospère, toutes sortes de félicités semblent promises au pays. Le roi lui-même apparaît comme le garant de la tolérance et des bonheurs qui en découlent. Telle est l'opinion du peuple, telle n'est pas celle des ambitieux et des fanatiques : les ambitieux sont surtout les aristocrates et les grands féodaux qu'il appartiendra à Richelieu de mettre à la raison et à Louis XIV de domestiquer ; les fanatiques sont tous ceux qui n'ont jamais admis que puissent cœxister deux religions dans le royaume.

Le couronnement de la reine a lieu la veille de la mort d'Henri IV (page suivante). Il s'agissait de renforcer l'éclat de la régence provisoire que le roi, en partance pour l'Allemagne, s'apprêtait à lui confier.

Les libelles et les prêches perpétuent la violence de l'époque des troubles sanglants. Les factieux ne sont qu'une poignée mais ils sont là. Ravaillac les entend.

La seconde, c'est que la grande expédition militaire vers le Rhin, qui se proposait, par les voies de l'expansion d'une politique de tolérance, d'accroître la sphère de l'influence française aux dépens de l'hégémonie des Habsbourg, est arrêtée par le régicide. De la même façon que le meurtre de Coligny, quarante ans auparavant, avait annihilé la grande politique française d'aide aux Pays-Bas, l'assassinat d'Henri IV met un terme au « grand dessein » du roi. Dans les deux cas, la violence meurtrière empêche la réalisation d'une vaste entreprise dans les régions du nord et de l'est, où finalement se jouera le sort de la puissance française. Pourtant Ravaillac, qui accomplit son forfait le 14 mai 1610, ne brisera pas l'œuvre de modernité initiée par Henri IV.

C'est devant le cabaret du *Cœur couronné percé d'une flèche* que Ravaillac poignarde Henri IV. Il frappe par deux fois. Au premier coup, le roi crie : « Je suis blessé. » Au second : « Ce n'est rien ! » Puis de nouveau : « Ce n'est rien. » Le sang lui jaillit alors de la bouche et le duc de la Force qui se trouve à côté de lui, s'écrie : « Ah ! Sire, souvenez vous de Dieu. »

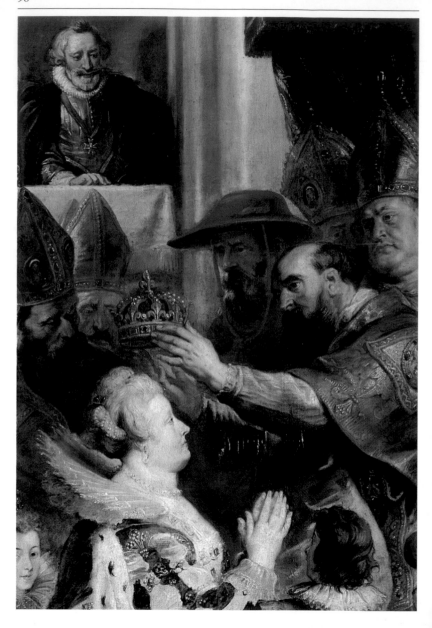

TÉMOIGNAGES
ET DOCUMENTS

Lettres et harangues d'Henri IV

Henri IV savait écrire et usait merveilleusement de ce don. Ses missives sont courtes et pressées, son style marqué du sceau de la modernité. On y trouve l'esprit, les saillies, les exemples historiques à la manière de Montaigne, mais surtout l'entière liberté de dire. Il n'écrit d'ailleurs jamais si bien que lorsqu'il écrit aux femmes. C'est cette sincérité, ce ton très personnel, des discours presque toujours improvisés qui continuent de toucher. Qu'il soit familier, ou en verve stylistique, ou encore qu'il verse dans l'allégorie poétique, Henri IV sait s'affranchir des règles de la rhétorique pour créer un style en accord avec la vivacité de sa pensée.

Le soldat

Le roi, qui se trouve obligé de reconquérir son trône à la pointe de son épée, a l'art d'entraîner ses hommes et de se les attacher. Imagine-t-on l'un des prédécesseurs d'Henri IV ou l'un de ses successeurs parler et écrire de la sorte? Ce ton gascon, familier, parfois trivial, n'est qu'à lui.

À Monsieur de Faget, en octobre 1579

Faget, je m'en vais avec mon armée joindre les troupes de M. de Montmorency pour secourir Bruguerolles. Je te prie que je te trouve prêt et accommodé qu'il ne faille que mettre le pied à l'étrier; et avertis tes amis pour être de la partie. Je serai samedi à Carmain.

Mercredi au soir.

Votre meilleur maître et affectionné ami,

Henry

Grand pendu, j'irai tâter de ton vin en passant.

À Monsieur de Batz, le 11 mars 1586

Monsieur de Batz, ils m'ont entouré comme la bête et croient qu'on me prend aux filets. Moi, je leur veux passer à travers ou dessus le ventre. J'ai élu mes bons, et mon Faucheur en est. Grand damné, je te veux bien garder le secret de ton cotillon d'Auch à ma cousine, mais que mon Faucheur ne me faille en si bonne partie, et ne s'aille amuser à la paille quand je l'attends sur le pré.

Écrit à Hagetmau, ce matin à dix heures.

Au même, le 12 mars 1586

Mon Faucheur, mets des ailes à ta meilleure bête; j'ai dit à Montespan de crever la sienne. Pourquoi? tu le sauras de moi à Nérac. Hâte, cours, viens, vole;

c'est l'ordre de ton maître et la prière
de ton ami.

À Monsieur de Lubersac,
vers le 10 avril 1587

Monsieur de Lubersac, j'ai entendu
par Boisse des nouvelles de votre
blessure, qui m'est un extrême deuil
dans ces nécessités. Un bras comme le
vôtre n'est de trop dans la balance du
bon droit; hâtez donc de l'y venir mettre
et de m'envoyer le plus de vos bons
parents que vous pourrez. D'Ambrugeac
m'est venu joindre avec tous les siens,
châteaux en croupe s'il eût pu. Je
m'assure que vous ne serez des derniers
à vous mettre de la partie; il n'y
manquera pas d'honneur à acquérir,
et je sais votre façon de besogner en
telle affaire. À Dieu donc et ne tardez,
voici l'heure de faire merveilles.

Votre plus assuré ami.

*Henri IV sait aussi toucher le cœur
des princes ses cousins en chatouillant
leur sens de l'honneur, et, pour les
enhardir, faire miroiter à ses hommes
l'appât d'un riche butin, comme en
témoigne, entre autres, cette harangue
prononcée par le roi de Navarre
avant la bataille de Coutras,
le 20 octobre 1587.*

Au prince de Condé et au comte
de Soissons...

Vous voyez, mes cousins, que c'est
à notre maison que l'on s'adresse.
Il ne serait pas raisonnable que ce beau
danseur et ces mignons de cour en
emportassent les trois principales têtes,
que Dieu a réservées pour conserver
les autres avec l'État. Cette querelle
nous est commune; l'issue de cette
journée nous laissera plus d'envieux
que de malfaisants; nous en partagerons
l'honneur en commun.

... et aux capitaines et aux soldats

Mes amis, voici une curée qui se
présente bien autre que vos butins
passés; c'est un nouveau marié qui
a encore l'argent de son mariage en
ses coffres; toute l'élite des courtisans
est avec lui. Courage! Il n'y aura si petit
entre vous qui ne soit désormais monté
sur des grands chevaux et servi
en vaisselle d'argent.

À Monsieur de Lestelle, le 19 avril 1589

Crapaud, que voulez-vous dire; il n'est
pas temps peut-être de venir? Votre
frère dit que si, et Lavardin est aussi gros
que vous, pour le moins. Laissons
raillerie. Ne vous excusez, ce n'en est
pas la saison. Mais si vous m'aimez,
et si vous voulez que je le croie, montrez
l'exemple aux autres. Je te prie,
Crapaud, viens-moi trouver et amène ce
que tu pourras ou ce que tu voudras; car
en quelque façon que je te voie, tu seras
le bienvenu. Ce que nous avons fait
jusques ici n'est pour rien compté,
au prix de ce que nous ferons asteure.
À Dieu : Viçouse vous verra; Viçouse
vous dira tout. De Saumur, ce 19e avril.

Votre plus affectionné maître et ami.

À Monsieur de Fervaques,
vers le 10 mars 1590

Fervaques, à cheval, car je veux voir
à ce coup ci de quel poil sont les oisons
de Normandie. Venez droit à Alençon.

À Monsieur de Montsolens,
le 18 octobre 1594

Monsieur de Montsolens, encore que
vous ayez jusqu'ici suivi le parti de mes
ennemis, si est-ce que je ne laisse pas de
priser et estimer les bonnes qualités que
j'entends être en vous, et ai grand regret
de les voir employées ailleurs qu'à mon
service. C'est pourquoi je vous veux bien
exhorter de vous reconnaître désormais,

suivant l'exemple de tous les plus gens de bien de la Ligue, qui se sont réduits à leur devoir. Vous n'avez plus de raison de vous opiniâtrer au contraire, étant le prétexte de la religion, dont on vous a si longtemps abusé, maintenant du tout ôté; et ne pensez pas que votre réduction et reconnaissance, pour être tardive, laisse de m'être bien agréable. Pourvu qu'elle soit vraie et sincère, cela suffira pour vous rendre capable de ma bonne volonté, dont les effets vous seront communs et faciles, indifféremment comme à mes autres bons serviteurs. Sur ce, je prie Dieu, Monsieur de Montsolens, vous avoir en sa sainte garde. Écrit de Paris, le 18e jour d'octobre 1594.

Le politique

Cette circulaire est le premier texte d'Henri IV devenu roi de France. Il sait que les circonstances fragilisent son pouvoir, mais il ne doute pas de la force de sa légitimité. Il promet de conserver la monarchie dans la religion catholique et de soumettre son pouvoir à l'obtention du bien public.

Circulaire aux principales villes du royaume, le 2 août 1589

De Par le Roi

Chers et bien amés, La rage et cruauté des ennemis du Roi et de cet État les a poussés si avant, que d'avoir fait entreprendre malheureusement sur sa vie par un Jacobin, introduit de bonne foi, pour la révérence de son habit, à lui parler en sa chambre hier matin, où il lui aurait donné un coup de couteau dans le ventre qui ne montrait apparence de danger, au premier appareil, ni tout le long de la journée : néanmoins il a rendu l'âme à Dieu cette nuit, laissant à tous ses bons serviteurs qui sont ici un extrême ennui et déplaisir, tous bien résolus avec nous d'en poursuivre la justice; à quoi de notre part nous n'épargnerons jusqu'à la dernière goutte de notre sang, puisqu'il a plu à Dieu nous appeler en son lieu, à la succession de cette couronne, ayant bien délibéré aussi de donner tout le meilleur ordre que faire se pourra, avec le bon conseil et avis des princes et autres principaux seigneurs, à ce qui sera du bien et conservation de l'État, sans y rien innover au fait de la religion catholique, apostolique et romaine, mais la conserver de notre pouvoir, comme nous en ferons plus particulière et expresse déclaration; et ne ferons aussi, en ce qui concerne l'État, aucune chose qui ne soit trouvée bonne pour le bien public. Sur quoi nous avons bien voulu écrire la présente, pour vous assurer de notre bonne intention; à ce que vous soyez d'autant plus confortés à persévérer en la fidélité que vous avez par ci-devant gardée à votre Roi, vous assurant que, ce faisant, vous recevrez de nous le meilleur traitement et soulagement, en ce qui concerne votre particulier, qui nous sera possible. Sur ce, nous prions Dieu qu'il vous ait, Chers et bien amés, en sa sainte garde.

Écrit au camp de Saint-Cloud, le 11e jour d'août 1589.

Ce texte, destiné à l'affichage, a été rédigé le jour même de l'entrée du roi à Paris alors que quelques ligueurs résistaient encore.

Circulaire sur la réduction de Paris, le 22 mars 1594

Dieu, par sa sainte grâce et bonté, continuant celles dont il lui a plu m'assister, durant ces troubles, à la conservation de cet État et à la confusion de ceux qui en voulaient chasser les vrais et légitimes héritiers, pour s'en emparer, a tant favorisé mes vœux et bonnes intentions à l'endroit des habitants de cette mienne bonne ville de Paris, que avec le grand et signalé service que le Sr comte de Brissac m'y a rendu, je suis ce jourd'hui entré paisible, sans effusion de sang ni qu'un seul bourgeois ait reçu incommodité en sa personne ni en ses biens, sinon trois ou quatre qui se sont fait tuer par leur obstination et dédain de la grâce qui leur était faite de ma part, s'étant par leurs armes voulu opposer non seulement à mes forces, mais aussi au consentement et désir presque général de leurs concitoyens de me reconnaître, comme ils ont témoigné, venant au devant de moi les bras étendus, avec allégresse et grandes acclamations, criant *Vive le Roi!* Les étrangers qui étaient dans la dite ville se sont retirés en un logis et ont mis les armes bas, en leur accordant de ma part, comme j'ai fait, de s'en aller vies et bagues sauves, et sont partis dès cet après-dîner. La Bastille tient encore, si peu fournie toutefois d'hommes et des commodités nécessaires, que j'en espère la prise dans peu de jours. Cependant je vous ai bien voulu avertir de ce qui est succédé, au surplus attendant que vous en sachiez les autres particularités. À quoi j'ajouterai encore que sur les huit heures, voyant tout le reste paisible, j'en ai été rendre grâce à Dieu dans la grande Église Notre-Dame, où j'ai par même moyen ouï la messe, désirant aussi que par processions et autres solennités vous en lui fassiez rendre semblables grâces, avec feux de joie, comme ce bon succès le mérite, qui en peut tirer beaucoup d'autres après soi par son exemple. Écrit en ma bonne ville de Paris, ce XXIIᵉ jour de mars 1594.

Ici le roi se fait patelin. Il s'agit d'obtenir de l'argent pour soutenir la guerre contre l'Espagne. Les assemblées de notables,

tout comme les états généraux, étaient compétentes pour décider de la levée d'impôts exceptionnels.

Harangue du Roi à l'Assemblée des notables tenue à Rouen, le 4 novembre 1596

Si je voulais acquérir le titre d'orateur, j'aurais appris quelque belle et longue harangue, et la vous prononcerais avec assez de gravité; mais, Messieurs, mon désir me pousse à deux plus glorieux titres, qui sont de m'appeler libérateur et restaurateur de cet État. Pour à quoi parvenir, je vous ai assemblés. Vous savez à vos dépens, comme moi aux miens, que lorsque Dieu m'a appelé à cette couronne, j'ai trouvé la France non seulement quasi ruinée, mais presque toute perdue pour les Français. Par la grâce divine, par les prières et bons conseils de mes serviteurs qui ne font profession des armes, par l'épée de ma brave et généreuse noblesse, de laquelle je ne distingue point les princes, pour être notre plus beau titre, foi de gentilhomme, par mes peines et labeurs, je l'ai sauvée de la perte : sauvons la asteure de la ruine. Participez, mes chers sujets, à cette seconde gloire avec moi, comme vous avez fait à la première. Je ne vous ai point appelés, comme faisaient mes prédécesseurs pour vous faire approuver leurs volontés; je vous ai assemblés pour recevoir vos conseils, pour les croire, pour les suivre, bref pour me mettre en tutelle entre vos mains, envie qui ne prend guères aux rois, aux barbes grises et aux victorieux. Mais la violente amour que je porte à mes sujets et l'extrême envie que j'ai d'ajouter ces deux beaux titres à celui de roi me font trouver tout aisé et honorable. Mon chancelier vous fera entendre plus amplement ma volonté.

Le roi s'adresse aux députés de Toulouse auxquels il donne audience. Il a affaire à forte partie. Le parlement de Toulouse est connu comme ligueur, peuplé de magistrats qui sont des catholiques fanatiques et pro-Espagnols.

Réponse du Roi aux Députés du Parlement de Toulouse, le 3 novembre 1599

C'est chose étrange que ne pouvez chasser vos mauvaises volontés. J'aperçois bien que vous avez encore de l'Espagnol dedans le ventre. Et qui donc voudrait croire que ceux qui ont exposé vie, bien et état, et honneur pour la défense et conservation de ce royaume, seront indignes des charges honorables et publiques, comme ligueurs perfides et dignes qu'on leur courût sus et qu'on les bannisse du royaume? Mais ceux qui ont employé le vert et le sec pour perdre cet État seraient vus comme bons Français, dignes et capables de charges! Je ne suis aveugle, j'y vois clair; je veux que ceux de la Religion vivent en paix en mon Royaume et soient capables d'entrer aux charges, non pas pour ce qu'ils sont de la Religion, mais d'autant qu'ils ont été fidèles serviteurs à moi et à la couronne de France. Je veux être obéi, que mon édit soit publié et exécuté par tout mon royaume. Il est temps que nous tous, saouls de guerre, devenions sages à nos dépens.

Les Jésuites avaient été chassés à la suite de l'attentat perpétré par l'un de leurs élèves, Jean Chastel, contre Henri IV. C'est le Parlement, traditionnel opposant aux interventions du pape et donc des Jésuites, qui avait obtenu ce renvoi et qui refusait obstinément le retour de ces religieux.

Réponse du Roi aux remontrances du Parlement sur le rétablissement des Jésuites, le 24 décembre 1603

Je vous sais bon gré du soin que vous avez de ma personne et de mon État. J'ai toutes vos conceptions en la mienne, mais vous n'avez pas la mienne aux vôtres. Vous m'avez proposé des difficultés qui vous semblent grandes et considérables, et n'avez su que tout ce que vous avez dit a été pensé et considéré par moi il y a huit ou neuf ans, et que les meilleures résolutions pour l'avenir se tirent de la considération des choses passées desquelles, j'ai plus de connaissance qu'autre qui soit.

L'amant

C'est dans ses écrits à des femmes qu'Henri se montre le plus naturel, que son style apparaît le plus spontané et plaisant. Diane d'Andoins a épousé Philibert de Gramont en 1567 à Pau. Comtesse de Guiche puis comtesse de Gramont, elle est la «belle Corisande», le grand amour d'Henri IV avant son accession au trône.

À Madame la comtesse de Gramont, le 25 mai 1586

La maladie commence tellement à prendre parmi nos troupes, qu'elle nous fera plutôt quitter la campagne que les ennemis. Je suis sur le point de vous recouvrer un cheval qui va l'entrepas, le plus beau que vous vîtes jamais et le meilleur, force panache d'aigrette. Bonnyères est allé à Poitiers pour acheter des cordes de luth pour vous. Il sera à ce soir de retour… Mon cœur, souvenez-vous toujours de petiot. […] À Dieu, mon cœur. Je te baise un million de fois les mains. Aimez-moi plus que vous-même. Ce XXVe, de Lusignan.

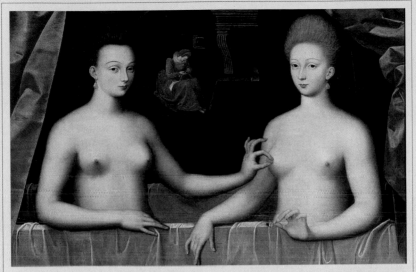

Une des interprétations de ce tableau allégorique est le remplacement de l'ancienne maîtresse d'Henri IV, Gabrielle d'Estrées, par la nouvelle, Henriette d'Entragues. Henriette la brune, qui est bien vivante, pince le sein de Gabrielle la blonde, qui est morte. Celle-ci reste inerte, le seul geste qu'elle accomplisse est celui du passage de l'anneau, symbole sexuel.

À la même, le 9 septembre 1589

Mon cœur, c'est merveille de quoi je vis au travail que j'ai. Dieu ait pitié de moi et me fasse miséricorde, bénissant mes labeurs, comme il fait en dépit de beaucoup de gens! Je me porte bien, et mes affaires vont bien, au prix de ce que pensaient beaucoup de gens. J'ai pris Eu. Les ennemis qui sont forts, au double de moi, asteure, m'y pensaient attraper; ayant fait mon entreprise, je me suis rapproché de Dieppe et les attends à un camp que je fortifie. Ce sera demain que je les verrai, et espère avec l'aide de mon Dieu, que s'ils m'attaquent, ils s'en trouveront mauvais marchands. Ce porteur part par mer; le vent et mes affaires me font finir, en vous baisant un million de fois. Ce 9e septembre, dans la tranchée à Arques.

À Madame de La Roche-Guyon, dame de la Cour dont le roi est épris, le 31 août 1590

Ma maîtresse, je vous écris ce mot le jour de la veille d'une bataille. L'issue en est en la main de Dieu, qui en a déjà ordonné ce qui en doit advenir et ce qu'il connaît être expédient pour sa gloire et pour le salut de mon peuple. Si je le perds, vous ne me verrez jamais, car je ne suis pas homme qui fuie ou qui recule. Bien vous puis-je assurer que, si j'y meurs, ma pénultième pensée sera à vous, et ma dernière sera à Dieu, auquel je vous recommande et moi aussi. Ce dernier août 1590; de la main de celui qui baise les vôtres et qui est votre serviteur.

Il s'en fallut de peu que Gabrielle d'Estrées ne devienne reine de France. Depuis plusieurs années déjà, il la faisait vivre en reine : bijoux et atours somptueux, riches litières dans lesquelles se tenait la favorite pour suivre le roi où qu'il aille. Elle lui avait déjà donné trois enfants publiquement reconnus, et intervenait dans la politique. Elle est morte en mettant au monde son quatrième enfant, mais il semble qu'elle ait été empoisonnée par l'entourage royal qui préparait le mariage d'Henri IV et de Marie de Médicis.

À Gabrielle d'Estrées, le 10 février 1593

Je ne sais de quel charme vous avez usé, mais je ne supportais point les autres absences avec tant d'impatience que celle-ci ; il me semble qu'il y a déjà un siècle que je suis éloigné de vous. Vous n'aurez que faire de solliciter mon retour ; je n'ai artère ni muscle qui à chaque moment ne me représente l'heur de vous voir, et ne me fasse sentir du déplaisir de votre absence. Croyez, ma chère souveraine, que l'amour ne me violenta jamais tant qu'il fait.

À la même, le 20 avril 1593

Mes belles amours, ce sera demain que je baiserai ces belles mains par millions de fois ; je ressens déjà du soulagement en mes peines par l'approche d'un tel heur, que je tiens cher comme ma vie ; mais si vous me le retardez d'un jour seulement, je mourrai. Envoyez-moi anhuy La Varenne, instruit de vos commandements. J'ai recouvert un cœur de diamant qui vous fera mourir d'envie. Si les anges portaient des bagues, il vous serait extrêmement propre. Jamais absence ne m'a tant ennuyé que celle-ci. Passer le mois d'avril absent de sa maîtresse, c'est ne vivre pas. Vous recevrez deux lettres anhuy de moi, et moi deux baisers demain de vous.

Bonjour, ma chère maîtresse ; je baise un million de fois vos pieds. De Mantes, ce 20e avril.

À la même, le 12 septembre 1598

Mes belles amours, deux heures après l'arrivée de ce porteur, vous verrez un cavalier qui vous aime fort, que l'on appelle roi de France et de Navarre, titre certainement honorable, mais bien pénible. Celui de votre sujet est bien plus délicieux. Tous trois ensemble sont bons, à quelque sauce que l'on les puisse mettre, et n'ai résolu de les céder à personne. J'ai vu par votre lettre la hâte qu'avez d'aller à Saint-Germain. Je suis fort aise qu'aimiez bien ma sœur ; c'est un des plus assurés témoignages que vous me pouvez rendre de votre bonne grâce, que je chéris plus que ma vie, encore que je m'aime bien. C'est trop causé pour vous voir si tôt. Bonjour, mon tout. Je baise vos beaux yeux un million de fois. Ce 12e septembre, de nos délicieux déserts de Fontainebleau.

Henri IV écrit à sa sœur Catherine de Bourbon en réponse à sa lettre relative à la mort de Gabrielle d'Estrées.

À Madame Catherine, le 15 avril 1599

Ma chère sœur, j'ai reçu à beaucoup de consolation votre visite ; j'en ai bien besoin, car mon affliction est aussi incomparable comme l'était le sujet qui me la donne : les regrets et les plaintes m'accompagneront jusques au tombeau. Cependant puisque Dieu m'a fait naître pour ce royaume et non pour moi, tous mes sens et mes soins ne seront plus employés qu'à l'avancement et conservation d'icelui. La racine de mon amour est morte, elle ne rejettera plus ; mais celle de mon amitié sera toujours verte pour vous, ma chère

sœur, que je baise un million de fois.
Ce 15e avril 1599, à Fontainebleau.

Henriette Balzac d'Entragues (1579-1633), marquise de Verneuil, a vingt ans lorsque le roi s'éprend d'elle, quelques semaines après la mort de Gabrielle d'Estrées. Aussi brune que la précédente était blonde, sûre de son succès, elle mènera proprement Henri IV par le bout du nez, obtenant de nombreux avantages, mêlant le complot à l'intrigue.

À la marquise de Verneuil, le 11 octobre 1600

Mon Menon, nous arrivâmes hier en ce lieu de Beaufort, à nuit fermante, où nos bagages ne sont encore arrivés à cette heure, que nous partons pour aller au col de Cormet reconnaître le paysage. Il nous fallut hier mettre vingt fois pied à terre et le chemin est cent fois pire aujourd'hui. La France m'est bien obligée, car je travaille bien pour elle. Je remets mille bons contes à vous faire, que j'ai appris de Messieurs qui sont venus de Chambéry, à quand j'aurais l'honneur de vous voir, qui ne sera, ce crois-je, que dimanche. Ce temps ne durera plus qu'à vous. Aimez-moi bien, les chères amours à moi, que je baise un millions de fois. Le 11e octobre.

Le père

La paternité n'est pas l'aspect le moins étonnant dans le personnage que compose Henri IV. Père de six princes légitimes et de huit bâtards reconnus, nés de quatre de ses maîtresses, il va entreprendre une curieuse expérience éducative en élevant tous ces enfants ensemble, dans le respect qu'ils doivent au Dauphin, héritier du trône.

À Madame de Montglat, gouvernante des enfants d'Henri IV, le 13 mai 1602

Madame de Montglat, vous m'avez fait plaisir de me mander des nouvelles de mon fils le Dauphin et de mes autres enfants. Continuez, je vous prie, et fort souvent, car vous ne me sauriez faire service plus agréable. S'il aime à sortir hors de la chambre et prendre l'air lorsqu'il fait beau, il a de qui en tenir. En attendant que je le verrai, je le vous recommande et d'en avoir bien du soin, comme je m'en repose sur vous. À Dieu, madame de Montglat, ce 13e mai, à Tours.

À mon fils le Dauphin, le 31 janvier 1607

Mon fils, Guérin me rendant une lettre m'a dit de vos nouvelles et que attendant ma venue, vous avez bien

Lettre d'Henri IV à la marquise de Verneuil.

du soin de mes jardins et de mes plans, de quoi j'ai été fort aise. Je lui ai commandé en vous rendant cette-ci de vous dire des miennes et de maman la Reine; que j'espère vous voir incontinent après la foire Saint-Germain, en laquelle je ferai acheter des petites besognes pour vous jouer, lesquelles je vous porterai quant et moi pourvu que vous m'aimiez bien et soyez bien sage. Bonsoir mon fils, ce dernier de janvier, à Paris. Votre bien bon père.

À Madame de Montglat, le 14 novembre 1607

[...] Je me plains de vous, de ce que vous ne m'avez pas mandé que vous aviez fouetté mon fils; car je veux et vous commande de le fouetter toutes les fois qu'il fera l'opiniâtre ou quelque chose de mal, sachant bien par moi-même qu'il n'y a rien au monde qui lui fasse plus de profit que cela; ce que je reconnais par expérience m'avoir profité; car, étant de son âge, j'ai été fort fouetté. C'est pourquoi je veux que vous le fassiez et que vous lui fassiez entendre. À Dieu, Madame de Montglat. Ce 14e novembre, à Fontainebleau.

À la Reine, le 22 mars 1609

Mon cœur, je ne passerai plus que cette journée sans vous voir; le temps m'a plus duré qu'à vous. Le chevalier [Alexandre de Vendôme, second fils du roi et de Gabrielle d'Estrées] faillit hier au soir à être fouetté. Tous parents vinrent pleurant à moi pour avoir sa grâce, si pitoyablement que Frontenac et le vieux Baranton se mirent à pleurer si fort, qu'ils nous en firent faire de même de rire. Je m'en vais courre le cerf. Il fait si beau que je crois que, si le temps continue, vous viendrez à Chantilly. Bonjour, mon cœur, je vous baise un million de fois.

L'ami

Avec ses familiers, Henri use du ton confident, se plaît à entrer dans le détail des affaires graves et moins graves, et sait se montrer sensible, généreux et altruiste.

À mon cousin, le Maréchal de Lavardin, Gouverneur du Maine, le 31 juillet 1602

Mon Cousin, enfin le duc de Biron a été condamné à la mort par arrêt de ma cour de parlement; mais usant en son endroit de ma clémence

LOYS DAVPHIN DE FRANCE. — MONSEIGNEVR LE DVC D'ORLEANS. — MONSEIGNEVR LE DVC D'ANIOV. — MADAME CHRISTINE. — MADAME ELIZABETH.

Les enfants d'Henri IV et de Marie de Médicis, à l'exception de Madame Henriette, future reine d'Angleterre.

accoutumée, autant que la sûreté de mon royaume et la gravité de son crime me l'ont permis, j'ai voulu, pour retrancher quelque chose de son ignominie, que le dit arrêt ait été exécuté dedans l'enclos du château de la Bastille de ma ville de Paris où il était prisonnier, de façon que ce jour d'hui il a eu la tête tranchée en présence de ceux que ma dite cour de parlement y a commis pour cet effet, et non en la place de Grève, comme il est porté par le dit arrêt, dont je vous envoie copie afin que vous le fassiez entendre à tous les gouverneurs particuliers de l'étendue de la Bourgogne et autres mes bons serviteurs que vous estimerez à propos, vous assurant que j'ai regret que le dit duc se soit tant oublié que d'avoir mérité ce châtiment. Mais je devais cet exemple au public et à la sûreté de ma personne et conservation de cet État à ma postérité. Priant sur ce Dieu qu'il vous ait, mon Cousin, en sa sainte garde. Écrit à Saint-Germain-en-Laye, le dernier jour de juillet 1602.

À Monsieur de Rosny, le 29 mars 1603

Mon ami, je vous prie de faire hâter la charpente et couverture de mon orangerie des Tuileries, afin que cette année je n'en puisse servir à y faire élever la graine des vers à soie que j'ai fait venir de Valence en Espagne, laquelle il faudra faire éclore aussitôt que les mûriers auront jeté de quoi les pouvoir nourrir. Vous savez comme j'affectionne cela : c'est pourquoi je vous prie encore un coup d'y pourvoir et les faire hâter. À Dieu, mon ami, lequel je prie vous avoir en sa sainte et digne garde. Ce 29e mars, à Metz.

Au même, le 24 mai 1603

Mon ami, je vous ai ce matin écrit par votre laquais des nouvelles de ma santé qui s'en va augmentant, car maintenant je me trouve beaucoup mieux, ayant bien reposé et me sentant sans fièvre. Je vous dépêche ce courrier exprès pour vous prier de m'envoyer par lui deux cents écus pour faire distribuer aux pauvres malades, lesquels je ne puis encore toucher de quelques jours, et j'aime mieux leur faire donner quelque chose pour attendre que je me porte mieux, que de les renvoyer sans les toucher. À Dieu, mon ami, lequel je prie vous avoir en sa sainte et digne garde. Ce samedi à 10 heures du matin, 24e mai, à Fontainebleau.

Au duc de Sully, le 22 décembre 1607

Mon ami, j'ai su que vous faites bâtir à La Chapelle et y faites un parc. Comme ami des bâtisseurs et votre bon maître, je vous donne six mille écus pour vous aider à faire quelque chose de beau, à prendre sur les deniers extraordinaires de l'année prochaine, d'où votre soin et travail me fait tant profiter. Bonsoir. Que je vous voie au retour de la cêne. Ce 22e décembre.

À Monsieur Du Vair, 1607

Monsr du Vair, Désirant faire venir avec les autres ouvriers qui sont à la manufacture que j'ai fait établir à Paris, un Espagnol et deux de ses serviteurs, que j'ai su être retournés de Constantinople et se trouver à présent en ma ville de Marseille, au logis d'un nommé Ostagics, d'autant que ce sont personnes qui ont la réputation de travailler bien en or et en soie, façon du Levant, je vous écris cette lettre afin que vous les disposiez à me venir trouver en ma dite ville de Paris et leur donniez adresse pour cet effet; ou bien ayez soin de les y faire conduire au plus tôt, et vous me ferez service très agréable : priant Dieu, Monsr du Vair, qu'il vous ait en sa sainte et digne garde.

Préambule de l'édit de Nantes

Les guerres de Religion ne se finirent pas par la victoire d'un des deux partis mais par un compromis – un équilibre délicat. Après la victoire sur la ligue extrémiste, le pays reste majoritairement catholique. Le roi se doit de donner des gages aux papistes. Dès le préambule de l'édit de Nantes, la religion réformée devient «religion prétendue réformée», nom qu'elle gardera jusqu'en 1685.

Ces ménagements de forme sont destinés à couvrir l'importance des concessions politiques faites aux huguenots, concessions nécessaires, dans l'esprit d'Henri IV, pour bloquer l'indiscipline et l'abstention dont les réformés menacent l'État.

Henry, par la grâce de Dieu, Roi de France et de Navarre : à tous présent et à venir, salut. Entre les grâces infinies qu'il a plu à Dieu de nous départir, celle-ci est bien des plus insignes et remarquables, de nous avoir donné la vertu et la force de ne céder aux effroyables troubles, confusions et désordres, qui se trouvèrent à notre avènement à ce royaume, qui était divisé en tant de partis et de factions que la plus légitime en était quasi la moindre, et de nous être néanmoins tellement roidis contre cette tourmente que nous l'ayons enfin surmontée, et touchions maintenant le port de salut et repos de cet État; de quoi à lui seul en soit la gloire tout entière, et à nous la grâce et l'obligation qu'il se soit voulu servir de notre labeur pour parfaire ce bon œuvre, auquel il a été visible à tous si nous avons porté ce qui était non seulement de notre devoir et pouvoir, mais quelque chose de plus qui n'eût peut-être pas été en autre temps bien convenable à la dignité que nous tenons, que nous n'avons plus eu crainte d'exposer, puisque nous y avons tant de fois et si librement exposé notre propre vie. Et en cette grande occurrence de si grands et périlleux affaires ne se pouvant tous composer tout à la fois et en même temps, il nous a fallu tenir cet ordre d'entreprendre premièrement ceux qui ne se pouvaient terminer que par la force, et plutôt remettre et suspendre pour quelque temps les autres qui se pouvaient et devaient traiter par la raison et la justice, comme les différends généraux d'entre nos bons sujets et les maux particuliers des plus saines parties de l'État, que nous estimions pouvoir bien plus aisément guérir après en avoir ôté la cause principale, qui était en la continuation de la guerre civile. En quoi nous étant, par la grâce de Dieu, bien et heureusement succédé, et les armes et hostilités étant du tout cessées en tout le dedans du royaume, nous espérons qu'il nous succédera aussi bien aux autres affaires qui restent à y composer, et que par ce moyen nous parviendrons à l'établissement d'une bonne paix et tranquille repos, qui a toujours été le but de tous nos vœux et intentions, et le prix que nous désirons de tant de peines et travaux auxquels nous avons passé ce cours de notre âge.

Entre les dits affaires auxquels il a fallu donner patience, et l'un des principaux, ont été les plaintes que nous avons reçues de plusieurs de nos provinces et villes catholiques, de ce que l'exercice de la religion catholique n'était pas universellement rétabli, comme il est porté par les édits ci-devant faits pour la pacification des troubles à l'occasion de la Religion. Comme aussi les supplications et remontrances qui nous ont été faites par nos sujets de la Religion Prétendue Réformée, tant sur l'inexécution de ce qui leur est accordé par les dits édits, que sur ce qu'ils désireraient y être ajouté pour l'exercice de leur dite religion, la liberté de leur conscience et la sûreté de leurs personnes et fortunes, présumant avoir juste sujet d'en avoir nouvelles et plus grandes appréhensions, à cause de ces derniers troubles et mouvements, dont le principal prétexte et fondement a été sur leur ruine.

À quoi pour ne nous charger de trop d'affaires tout à la fois, et aussi que la fureur des armes ne compâtit point à l'établissement des lois, pour bonnes qu'elles puissent être, nous avons toujours différé de temps en temps de pourvoir; mais maintenant qu'il plaît à Dieu commencer à nous faire jouir de quelque meilleur repos, nous avons estimé ne le pouvoir mieux employer qu'à vaquer à ce qui peut concerner la gloire de son saint nom et service, et à pourvoir qu'il puisse être adoré et prié par tous nos sujets; et s'il ne lui a plu permettre que ce soit pour encore en une même forme de religion, que ce soit au moins d'une même intention et avec telle règle, qu'il n'y ait point pour cela de trouble ni de tumulte entre eux, et que nous et ce royaume puissions toujours mériter et conserver le titre glorieux de Très-Chrétien, qui a été par tant de mérites et dès si long temps acquis, et par même moyen ôter la cause du mal et trouble qui peut advenir sur le fait

de la Religion, qui est toujours le plus glissant et pénétrant de tous les autres.

Pour cette occasion, ayant reconnu cet affaire de très-grande importance et digne de très-bonne considération, après avoir repris les cahiers des plaintes de nos sujets catholiques, ayant aussi permis à nos dits sujets de la dite Religion Prétendue Réformée de s'assembler par députés pour dresser les leurs et mettre ensemble toutes leurs dites remontrances, et sur ce fait conféré avec eux par diverses fois et revu les édits précédens, nous avons jugé nécessaire de donner maintenant sur le tout à tous nos dits sujets une loi générale, claire, nette et absolue, par laquelle ils soient réglés sur tous les différends qui sont ci-devant sur ce survenus entre eux et y pourront encore survenir ci-après, et dont les uns et les autres aient sujet de se contenter, selon que la qualité du temps le peut porter, n'étant pour notre regard entré en cette délibération que pour le seul zèle que nous avons au service de Dieu, et qu'il se puisse dorénavant faire et rendre par tous nos dits sujets, et établir entre eux une bonne et perdurable paix. Sur quoi, nous implorons et attendons de sa divine bonté la même protection et faveur qu'il a toujours visiblement départie à ce royaume depuis sa naissance et pendant tout ce long âge qu'il a atteint, et qu'elle fasse la grâce à nos dits sujets de bien comprendre qu'en l'observation de cette notre ordonnance consiste, après ce qui est de leur devoir envers Dieu et envers nous, le principal fondement de leur union, concorde, tranquillité et repos, et du rétablissement de tout cet État en sa première splendeur, opulence et force, comme de notre part nous promettons de la faire exactement observer, sans souffrir qu'il y soit aucunement contrevenu.

Paris, Archives nationales

Les grands travaux du roi

Henri IV fut un grand constructeur : à Fontainebleau, il reprend le projet initié par François Ier; aux Tuileries et porte Saint-Antoine, ceux conçus par Catherine de Médicis ; à la pointe de l'île de la Cité, il commande la future place Dauphine; rive gauche, ordonne l'édification de l'hôpital de la Charité et rive droite celle de l'hôpital Saint-Louis… autant de réalisations que les historiens inscrivent dans une vraie politique urbaine.

Fier de son ouvrage, Henri IV écrit le 3 mai 1607 au cardinal de Joyeuse, pour lui faire part de l'avancement des travaux qu'il a entrepris et des changements que celui-ci trouvera dans la capitale.

[…] [Cette lettre] particulière est pour vous dire des nouvelles de mes bâtiments et de mes jardins et pour vous assurer que je n'y ai perdu le temps depuis votre partement. À Paris, vous trouverez ma grande galerie qui va jusques aux Tuileries parachevée, la petite dorée et les tableaux mis dans les Tuileries, un vivier et force belles fontaines, mes plants et mes jardins fort beaux; la place Royale, qui est près la porte Saint-Antoine et les manufactures; des quatre parts, les trois faites et la quatrième sera achevée l'année prochaine; plus de deux ou trois mille ateliers qui travaillent çà et là pour l'embellissement de la ville, si qu'il n'est pas croyable comme vous y trouverez du changement. À Saint-Germain, je fais continuer ce que vous y avez vu commencer. Ici vous trouverez mon parc fermé, mon canal fort avancé et plus de soixante mille arbres que j'ai fait planter cette année dans le dit parc, par

boqueteaux, presque tous repris, et avant cet hiver j'espère y planter plus de cinq ou six mille fruitiers. J'ai fait nettoyer et curer tous mes canaux, tant du jardin des canaux que autres. Mes palissades sont fort belles. J'ai déjà trois aires de hérons, qui me fait espérer que puisqu'ils ont commencé, j'en aurai force autres dans cette année. Ma basse-cour des cuisines sera plus de moitié faite, et l'aqueduc que je fais faire pour conduire les eaux et les amener dans le château, fait de façon que j'en mettrai par tous mes jardins où je voudrai. À Monceaux, les maçons hors du château et qui travaillent à la basse-cour. Somme toute, vous verrez à votre arrivée que j'ai fort travaillé. Le canal qui mène de Briarre à la rivière du Loir ne sera encore parachevé cette année, mais il le sera de bonne heure en la prochaine. […]

Henry

Sous Henri IV, places et lotissements

Avec le règne d'Henri IV, la politique des lotissements change d'échelle et de signification. Elle s'inscrit, en effet, dans une double volonté : d'une part, effacer les ruines du siège des années 1589-1594; d'autre part, aménager la ville là où le tissu urbain le permet, en la dotant de places à caractère monumental et de promenades, en rééquilibrant la distribution de ses fonctions et de ses populations. L'accroissement du bâti parisien par les lotissements ne se sépare donc pas, sous Henri IV, d'un projet monarchique qui considère la ville dans son entier. De là, trois lotissements liés chacun à l'ouverture d'une place : la place Royale (place des Vosges actuelle), la place Dauphine, la place de France. Sur l'emplacement de l'ancien palais des Tournelles, occupé par un marché aux chevaux, le projet de la place Royale est le premier en date. Dès 1603 sont associées la création d'une manufacture de draps de soie (sur un terrain concédé à un consortium de cinq associés chargés d'édifier les bâtiments manufacturiers et les maisons pour les ouvriers) et l'édification d'une place, selon l'idée

Henri IV, accompagné de Marie de Médicis et de Sully, se fait présenter les plans de construction des galeries du Louvre.

de Sully qui était propriétaire d'une partie du sol et grand voyer de Paris. En 1605, la réalisation est entreprise, par la vente des parcelles qui dessinent le carré de la place (nombre des acquéreurs font partie de l'entourage direct et de la clientèle de Sully) et par l'octroi de lettres patentes qui obligent les acquéreurs des lots à un certain nombre de servitudes tant juridiques (par exemple, l'interdiction de diviser les pavillons lors des partages successoraux) qu'architecturales : la longueur des façades est fixée à 8 toises – 15,85 m –; leur organisation doit être identique avec quatre arcades au rez-de-chaussée et deux étages à quatre fenêtres; les matériaux utilisés semblables, briques pour les murs, pierres pour les arcades, les entablements et les pilastres, ardoises pour les toits. Dès 1607, le roi ordonne la démolition de la manufacture afin d'achever, sur son quatrième côté, la place dévolue à l'activité des changeurs et des banquiers. En fait, ceux-ci préfèrent demeurer dans le Palais et sur le Pont-aux-Changeurs, ce qui donne à la place Royale une fonction à la fois résidentielle avec la construction sur son entour des pavillons aristocratiques, et festive puisque l'espace central, sablé et défendu par des lices de bois, doit accueillir joutes et carrousels (ainsi en 1612). La construction de la place Royale marque une étape essentielle dans l'urbanisme parisien : elle fixe un habitat aristocratique dans une zone jusque-là non bâtie, elle donne à Paris sa première place géométrique et fermée, sur le modèle des places lorraines de Metz, Nancy et Pont-à-Mousson, elle dote la ville de son premier ensemble de constructions à programme (si l'on excepte les soixante-huit maisons uniformes à arcades, décor peint et pignons, construites sur le pont

Notre-Dame entre 1507 et 1512, en remplacement de celles, identiques elles aussi, qui avaient été édifiées en 1421).

Le second lotissement fait sous Henri IV, lié ici à une place et un pont, est celui du Pont-Neuf. Commencée en 1578, la construction du Pont-Neuf est reprise vingt ans plus tard, retrouvant le plan originel qui éliminait toute construction sur la chaussée du nouveau pont (innovation qui, d'ailleurs, ne sera point retenue pour l'édification des ponts ultérieurs). Prenant appui sur la pointe de la Cité, non bâtie, l'achèvement du pont en 1606 conduit à un autre projet : installer là une place triangulaire, vouée au change, à la banque et au commerce et qui porterait le nom de place Dauphine. Pour ce faire, le terrain est concédé en 1607 au premier président du Parlement, Achille du Harlay, qui le revend en lots séparés, achetés surtout par des conseillers au Parlement et des orfèvres. Un programme de constructions uniformes est imposé aux bâtisseurs, mais avec des servitudes moins lourdes que sur la place Royale dans la mesure où les maisons édifiées sont destinées aux activités commerciales. L'ensemble ainsi créé est complété d'une triple manière : par le percement, en 1607-1608, sur la rive gauche, de la rue Dauphine large d'une dizaine de mètres mais où l'uniformité de construction voulue par le roi ne fut guère respectée; par le lotissement des quais de la pointe de la Cité sur des terrains concédés en 1611 (selon la même formule qu'en 1607) au président Jeannin; par l'installation en 1614, sur le terre-plein du Pont-Neuf, d'une statue équestre d'Henri IV.

Le dernier projet du roi, qui visait à installer, sur les terrains des Coutures du Temple, une place en hémicycle (la place de France) adossée aux remparts et où débouchaient six rues en demi-étoile, n'a pas vu le jour. On y retrouve cependant les grands traits de sa politique urbaine : le désir de voir bâtis les espaces vides à l'intérieur des murs afin de freiner la prolifération des constructions dans les faubourgs, l'attribution d'une fonction dominante (ici administrative) aux nouveaux ensembles immobiliers, le recours à des intermédiaires pour les opérations de lotissement (place de France, c'est un financier, Claude Charlot, qui devait jouer le rôle tenu par Sully place Royale et par du Harlay place Dauphine); enfin, le privilège donné aux organisations géométriques de l'espace urbain et aux constructions à programme.

Étroitement dépendants, durant le règne d'Henri IV, des projets et du contrôle monarchiques, les lotissements s'émancipent ensuite de la tutelle royale pour devenir de pures opérations spéculatives, détachées d'une préoccupation urbanistique globale et menées pour le plus grand profit (et parfois la ruine) des manieurs d'argent. Grâce aux recherches de H. Dumolin, les mécanismes de ces lotissements peuvent être restitués là où ils ont eu le plus d'ampleur, à savoir dans l'île Saint-Louis, au Pré-aux-Clercs et au quartier Richelieu.

[…] L'extension et la transformation de Paris par lotissements sous Henri IV et Louis XIII obéit à un double principe. Tout d'abord, elle évite l'ancien noyau citadin, où le parcellaire est ténu, le terrain coûteux, l'appropriation seigneuriale du sol touffue et la distribution des fonctions urbaines établie depuis longtemps. Il y a là un espace bâti que ni le roi ni les promoteurs n'ont le pouvoir de transformer. Il n'est donc point étonnant que les lotissements s'installent à l'entour du vieux cœur

urbain, sur des terrains vierges, au parcellaire lâche, aux fonctions mal fixées. Mais – et c'est un second point – tous les gains du bâti dans la première moitié du XVIIe siècle se font à l'intérieur des murs, les anciens ou les nouveaux, à l'exception de la croissance du faubourg Saint-Germain. Il y a là comme la volonté de faire respecter *a posteriori* les textes par lesquels Henri II avait en 1548 puis 1554 interdit toute construction hors les murs. […]

L'élévation des maisons

Dans le cœur ancien des villes, l'extension du bâti passe par une autre modalité : l'accroissement en hauteur de la maison citadine. L'enquête menée sur le quartier des Halles à Paris atteste une augmentation de la hauteur des maisons entre la seconde moitié du XVIe siècle et la seconde moitié du XVIIe. En effet, toute reconstruction de maison entraîne l'ajout d'un ou deux étages supplémentaires au nouvel édifice. Les contemporains se montrent sensibles à cet exhaussement de la ville ancienne en en exagérant l'amplitude. […]

La ville de pierre

La seconde mutation du bâti paraît de plus d'importance, à Paris au moins, et transforme la ville de bois en ville de pierre. La coutume de Paris prohibait depuis longtemps les maisons de bois mais ce n'est qu'après l'édit d'Henri IV de 1607 que l'interdit devient réalité, ne laissant subsister les constructions en bois que sur les ponts, parce qu'elles étaient moins lourdes, et pour les logis sur cour. Ailleurs, la pierre l'emporte et se substitue au bois pour donner la charpente ou la carcasse de la maison.

«La ville classique», in *Histoire de la France urbaine*, t. 3, sous la direction de Georges Duby, Seuil, 1981

De l'hagiographie à l'Histoire

Si Henri IV n'a jamais vraiment quitté le cœur des Français, qui se sont toujours souvenus avec sympathie du galant homme et du roi de la poule au pot, il a été l'objet, de la part des historiens et des penseurs politiques, de jugements diversifiés et contrastés. Ils ont, tour à tour, selon les époques, mis en avant le restaurateur de l'État, l'homme de la tolérance, le père du peuple, le patriote, le monarque tempéré.

L'hagiographie baroque du vivant du roi

C'est le héros de la Renaissance, le guerrier contraint de conquérir pied à pied son royaume, que chantent, dans le style de Plutarque, les textes henriciens d'avant 1610. Henri IV étant le premier d'une longue série d'hommes du Midi venus s'illustrer au Nord, plusieurs de ces textes sont en langue d'oc. L'accession du roi de Navarre au trône de France fut d'ailleurs l'occasion d'un renouveau dans le Midi de la littérature occitane.

À la cour, la première «Henriade» est l'œuvre de Sébastien Garnier, en 1594. Tout au long de son règne le roi est célébré dans des fêtes à thème hagiographique – drames, féeries et ballets. Le Ballet de Monsieur de Vendôme, représenté trois fois en sa présence, en janvier et février 1610, s'achève par la soumission de l'enchanteresse Alcine qui, après avoir transformé les courtisans en chats-huants, en pots de fleurs ou en géants, vient se jeter aux pieds du roi «vainqueur de tous les sortilèges».

Dans le domaine de la propagande, Sully publie en 1609 un Abrégé de la vie de Henri-Auguste, quatrième du nom, très victorieux et invincible roi de France et de Navarre – ouvrage destiné à justifier l'action du roi qui se prépare à intervenir sur le Rhin. Enfin, dans sa correspondance avec Henri, Montaigne célèbre l'homme victorieux (lettre à Henri IV, le 18 janvier 1585) :

«Sire,
C'est être au-dessus du poids et de la foule de vos grandes et importantes affaires que de vous savoir prêter et démettre aux petites à leur tour suivant le devoir de votre autorité royale qui vous expose à toute heure à toute sorte et degré d'hommes et d'occupations; toutefois ce que votre majesté a daigné considérer mes lettres et y commander réponse, j'aime mieux le devoir à la bénignité qu'à la vigueur de son âme. J'ai de tout temps regardé en vous cette même fortune où vous êtes et vous peut souvenir que lors même qu'il m'en fallait confesser à mon curé, je ne laissais de voir aucunement de bon œil vos succès, à présent avec plus de raison et de liberté, je les embrasse de pleine affection. Ils vous servent là par effet mais ils ne vous servent pas moins ici par réputation; le retentissement porte autant que le coup.»

*Toujours au cours du règne, Malherbe,
le grand poète du temps, chante le
reconstructeur («*Prière pour le roi Henri-
le-Grand allant en Limosin*», 1602) :*

«Ô Dieu, dont les bontés de nos larmes
  [touchées
Ont aux vaines fureurs les armes
  [arrachées,
Et rangé l'insolence aux pieds
  [de la raison,
Puisqu'à rien d'imparfait ta louange
  [n'aspire,
Achève ton ouvrage au bien
  [de cet empire
Et nous rends l'embonpoint comme
  [la guérison.

Nous sommes sous un roi si vaillant
  [et si sage,
Et qui si dignement a fait l'apprentissage
De toutes les vertus propres
  [à commander,
Qu'il semble que cet heur nous impose
  [silence
Et qu'assurés par lui de toute violence,
Nous n'avons plus sujet de te rien
  [demander.

Certes quiconque a vu pleuvoir dessus
  [nos têtes
Les funestes éclats des plus grandes
  [tempêtes
Qu'excitèrent jamais deux contraires
  [partis,
Et n'en voit aujourd'hui nulle marque
  [paraître,
En ce miracle seul il peut assez
  [connaître
Quelle force a la main qui nous
  [a garantis.»

Les premières biographies

*Le crime de Ravaillac aura plusieurs
conséquences allant à l'encontre*

*des intentions du régicide. Henri IV,
violemment critiqué en 1610 pour
les préparatifs guerriers qu'il faisait
contre l'Empire, ainsi que pour l'amour
coupable qu'il portait à la femme de son
neveu Condé, redevient immédiatement
populaire, un roi aimé de son peuple et
suspect aux théoriciens de l'absolutisme.
Le témoignage de Bossuet est,
à cet égard, éclairant :*

«Il n'y a personne de nous qui ne se
souvienne d'avoir ouï souvent raconter
à son père ou à son grand-père, je ne dis
pas l'étonnement, l'horreur et
l'indignation que devait inspirer un coup
si soudain et si excécrable, mais une
désolation pareille à celle que cause
la perte d'un bon père à ses enfants.»

*L'émotion se traduit par une haine pour
l'assassin. Les spectateurs du supplice
s'emparent dans un mouvement
hystérique des membres écartelés :*

«[...] tellement que le bourreau
demeura fort étonné de voir qu'il ne
lui restait que la chemise pour achever
l'exécution qui voulait que le corps fut
réduit en cendres».

*Les panégyriques suivent aussitôt avec
l'*Épithète d'honneur d'Henri-le-Grand
de André Duchesne, *puis au théâtre,*
La Tragédie d'Henri-le-Grand
de Claude Billard, *ainsi que les premières
biographies, celles de Julien Peleus (1614),
Baptiste Legrain (1614), Pierre Matthieu
(1620) et Scipion Dupleix (1632).
Par la suite, durant l'accélération
du processus de construction de
l'absolutisme, Henri IV apparaîtra
progressivement à son peuple, et ce
jusqu'à la Révolution, comme le modèle
du monarque tempéré, le dernier roi
à s'être préoccupé des humbles.*

En revanche, à la cour, dans le milieu où se renforce l'autorité royale, deux éléments vont contribuer à éclipser la mémoire du défunt roi : le premier est le retour de l'influence catholique et espagnole pendant la régence de Marie de Médicis ; le second réside dans le fait que le personnage d'Henri IV souffre de son gasconisme. La société aristocratique et bourgeoise du règne de Louis XIII, qui se police sous l'influence d'une étiquette venue d'Espagne, considère en effet avec mépris la verte époque du règne précédent. Le jugement de Tallemant des Réaux est caractéristique de cette distance prise avec le souvenir d'Henri IV (Historiettes, *1657-1659*) :

«Si le prince fust né roy de France et roy paisible, ce n'eust pas été un grand personnage, il se fust noyé dans les voluptez, puisque malgré toutes ses traverses, il ne laissait pas pour suivre ses plazisirs, d'abandonner ses plus précieuses affaires. Après la bataille de Coutras, au lieu de poursuivre ses avantages, il s'en va badiner avec la comtesse de Guiche [Corisande] et lui porte les drapeaux qu'il avait gagnés. durant le siège d'Amiens, il court après Madame de Beaufort [Gabrielle d'Estrées], sans se tourmenter du cardinal d'Autriche qui s'approchait. [...] Il n'estait ni trop libéral ni trop reconnaissant, il ne louait jamais les autres et se vantait comme un gascon. En récompense, on n'a jamais vu un prince plus humain n'y qui aimast plus son peuple.»

Henri le Grand et les philosophes

«Ce prince, après avoir été pendant sa vie l'arbitre de l'Europe, reçut de la postérité le nom de Grand. Son nom ne peut encore être prononcé qu'avec attendrissement par tous les Français.» (*Encyclopédie*)

L'*Encyclopédie, quelques années avant la Révolution, avait présenté Henri IV, ainsi que l'avait fait Montesquieu au début du siècle, comme un homme refusant de s'assujettir à l'étiquette, celle-là même qui fera perdre à Louis XIV sa liberté.*

Son amour des femmes témoigne de son amour de la vie. Il est souligné par Pierre Bayle qui lui consacre plusieurs pages de son Dictionnaire historique et critique (1696-1697). *Voltaire relève aussi ce trait de caractère dans* La Henriade *(1728)* :

«Son cœur, fait pour aimer, éprouva la plus douce et la plus impérieuse des passions mais l'amour ne présida jamais dans son conseil.»

Montesquieu, quant à lui, traite la question comme en badinant :

«Le roi [Henri IV] demande à l'ambassadeur d'Espagne si son roi avait des maîtresses.» «Sire, dit gravement l'ambassadeur, le roi mon maître craint Dieu et respecte la reine.» «Eh quoi ! répond Henri, n'a-t-il pas assez de vertu pour faire pardonner un vice.»

Ce qui plaît sans doute aux hommes du XVIIIe siècle, à Bayle, Montesquieu, Voltaire et Rousseau, c'est qu'Henri de Navarre a dû conquérir son trône de haute lutte.

«Son enfance fut exposée à tous les périls, son éducation toute guerrière le familiarise avec les fatigues et le mépris de la mort.» (*Encyclopédie*).

*Voltaire de préciser (*La Henriade, *1728) :*

«Henri IV s'est instruit par l'adversité, par l'expérience de la vie privée et de la vie publique et par ses propres lumières. Ayant été persécuté, il ne fut point persécuteur. Il était plus philosophe qu'il ne pensait au milieu du tumulte des armes.»

Il souligne surtout ce sur quoi tous les penseurs du XVIIIᵉ siècle sont unanimes : le modernisme de la lutte d'Henri contre le fanatisme, de ce roi «vainqueur de la discorde» – «le seul roi dont le pauvre ait gardé la mémoire», insiste Voltaire, qui aurait aimé substituer au culte des saints le culte d'Henri IV.

«Je suppose qu'on ait placé dans une basilique la statue du roi Henri IV qui conduisit son royaume avec la valeur d'Alexandre et la clémence de Titus, qui fut bon et compatissant, qui sut choisir les meilleurs ministres et fut son premier ministre lui-même; je suppose que malgré ses faiblesses on lui paye des hommages au-dessus des respects qu'on rend à la mémoire des grands hommes, quel mal pourrait-il en résulter? Il vaudra certainement mieux fléchir le genou devant lui que devant cette multitude de saints inconnus dont les noms même sont devenus des sujets d'opprobre.»

Jean-Jacques Rousseau, en 1760, célèbre en Henri IV l'homme qui prépare et annonce le projet de Paix perpétuelle de l'abbé Saint-Pierre, système à la mode dont Rousseau était l'un des partisans.

«Henri IV employa quinze ans de paix à faire des préparatifs dignes de l'entreprise qu'il méditait. Il remplit d'argent ses coffres, ses arsenaux d'artillerie d'armes et de munitions […] mais il fit plus que tout cela sans doute en gouvernant sagement ses peuples.»

Il rectifie toutefois quelque peu son jugement, après les déconvenues de la guerre de Sept Ans.

«Sans doute la paix perpétuelle est-elle à présent un projet absurde, mais qu'on nous rende un Henri IV et un Sully, la paix perpétuelle redeviendra un projet raisonnable.»

Si les plus grands penseurs du siècle des Lumières font d'Henri IV le héros de la lutte contre le fanatisme, il faut toutefois noter qu'ils sous-estiment ce qu'a été l'édit de Nantes. Sans doute les esprits éclairés du XVIIIᵉ siècle ne considéraient-ils pas comme une œuvre majeure le fait d'avoir permis à deux «sectes» de cohabiter dans un même royaume.

La Révolution

Le personnage d'Henri IV paraît échapper à la haine qui va terrasser la monarchie. À la veille de la Révolution, en septembre 1788, le peuple de Paris se rassemble devant la statue d'Henri IV sur le Pont-Neuf et oblige les passants à s'arrêter pour saluer «le meilleur des rois». Ainsi, pour Chamfort qui, par son indépendance d'esprit, sera l'une des victimes de la Révolution :

«Henri IV fut un grand roi, tandis que Louis XIV n'est que le roi d'un grand règne.»

Au plus fort de la tourmente, lors de la profanation des tombes royales à Saint-Denis, le 12 octobre 1793, Henri IV

Les Parisiens installent la nouvelle statue
d'Henri IV sur le Pont-Neuf à Paris,
en août 1818.

*n'est pas épargné mais Dom Poirier
qui a dressé le procès-verbal de
ces exhumations rapporte cette scène
curieuse :*

«Un soldat qui était présent, mû par
un martial enthousiasme au moment
de l'ouverture du cercueil, se précipita
sur le cadavre du vainqueur de la Ligue
et, après un long silence d'admiration,
il tira son sabre, lui coupa une longue
mèche de sa barbe, qui était encore
fraîche et s'écria en même temps, en
termes énergiques et vraiment
militaires : "Et moi aussi je suis soldat
français! Désormais, je n'aurais plus
d'autre moustache." Et plaçant cette
mèche précieuse sur sa lèvre supérieure :
"Maintenant je suis sûr de vaincre
les ennemis de la France et je marche
à la victoire!"»

Le XIXᵉ siècle : pour Michelet une adhésion pas à pas

«De toute l'ancienne monarchie,
il reste à la France un nom, Henri IV,
plus deux chansons. La première est
Gabrielle, ce doux rayon de paix
après les horreurs de la Ligue.
L'autre chanson c'est Malborough.»
(Jules Michelet, *Histoire de France*,
1833-1846)

«En France tout est par l'étincelle.
Personne ne l'eut plus qu'Henri IV.
C'est pourquoi tout lui fut attribué
[…] Il fit tout, créa tout, la France
rien. Telle est la justice légendaire
et l'idolâtrie stérile qui attribue tout
au miracle de la chance, au hasard
des dieux.»

*Au fur et à mesure qu'il déroule
l'histoire du XVIᵉ siècle, Michelet
estompe les réserves que la personnalité
d'Henri IV lui avait inspirées :*

«Ce bien-aimé de la fortune eut aussi
ce bonheur insigne de naître, si j'ose
dire, en pleine flamme, au petit brasier
héroïque du protestantisme. Ce parti
offrait alors une élite sublime.»

*Michelet est le premier à souligner
l'action de Coligny et de Duplessis-
Mornay dans la formation politique
d'Henri IV et à considérer que l'un
des principaux mérites d'Henri IV
est d'avoir brisé la Ligue :*

«Ce terrorisme ressemblait-il à celui
de 1793? Oui, par les instincts niveleurs
qui sont éternels […]. Mais le point
qui faisait l'originalité du terrorisme
de la Ligue c'est qu'il entrait dans
un détail, une intériorité domestique,
où celui de 93 ne put arriver jamais.
Ce dernier agissait du dehors non du
dedans […]. N'ayant pas la confession
il n'allait pas au fond même, il ne
siégeait pas en tiers entre le mari
et la femme, ne savait pas ce qu'on
mangeait, ce qu'on se disait
sur l'oreiller.»

Paradoxalement, Michelet est celui qui poussera le plus loin les conséquences du succès d'Henri IV :

«Après qu'il eut conquis son royaume, toute l'Europe sentait une chose, c'est qu'il n'y avait qu'un roi et c'était le roi de France. Le vœu de tous nos voisins eut été d'être conquis. Les Flamands écrivaient aux nôtres : "Ah! si nous étions Français! [...]" Est-ce à dire que la voix publique a tort de vanter ce règne? La légende est-elle vaine? Non, le peuple a eu raison de consacrer la mémoire du roi singulier, unique, qui fit désirer à tous d'être Français.»

Au XXᵉ siècle : la réalité rejoint la légende

Dans le fameux manuel scolaire de Malet et Isaac (Manuel d'histoire de 3ᵉ, 1922), Albert Malet écrit en 1922 :

«Un récent historien a dit de l'édit de Nantes qu'il mériterait de faire date dans l'histoire du monde parce qu'il inaugurait l'ère de la tolérance. Pour bien en comprendre la valeur, il faut se rappeler quelle était la situation religieuse dans tous les autres États de l'Europe, en Allemagne, en Angleterre, en Espagne... La France, la première, adopta le régime de la liberté religieuse. À vrai dire elle l'adopta non spontanément, par véritable respect des droits sacrés de la conscience, mais contrainte par la sagesse et la prévoyance d'Henri IV.»

Les principaux historiens du XXᵉ siècle reprennent à leur compte les plus fortes images de quatre siècles de légende. Pour E. Le Roy Ladurie, les «performances géniales» d'Henri IV

font de lui le seul souverain français à mériter le qualificatif d'«exceptionnel». Pierre Goubert renchérit : «Il installa la France dans une situation exceptionnelle.» Ces historiens d'aujourd'hui ajoutent des pièces au dossier de la tolérance, pièces qui confirment la légende. Fernand Braudel aime à souligner, par exemple, que le bruit courut au printemps 1597, à Paris et peut-être à Nantes, juste avant l'édit, que le roi songeait «à faire revenir les juifs que le roi très chrétien, Saint Louis, avait chassés».

Pour Jean Delumeau, l'Église romaine avait raison de penser que la France d'Henri IV sauva le protestantisme allemand. Janine Garrisson souligne à juste titre le caractère laïque de l'action d'Henri IV. Fernand Braudel parle aussi de «la réussite foudroyante d'Henri IV en réponse à l'une des crises les plus tragiques de l'histoire de France».

Plus récemment, François Bayrou (Henri IV, 1994) a vu dans Henri IV «le roi libre», liberté dont il fait la clé de toute réussite politique :

«Il ne fut roi que parce qu'il avait gagné d'être libre. Libre à l'égard de sa vie et de ses souffrances, libre dans l'étiquette de la cour, libre de la peur de l'ennemi, libre au combat de refuser la haine, libre dans la victoire de sauver l'adversaire, libre de dire oui à Henri III, de choisir comme il l'entendait la messe ou le temple et aussi ce qu'il devait croire de l'un et de l'autre. Libre, enfin, à l'égard de ses partisans eux-mêmes et de cette fatalité qui veut que, *vae victis*, malheur aux vaincus, le clan victorieux reprend aussitôt la place, les habitudes, et jusqu'aux turpitudes, du clan défait. S'il n'avait pas refusé cette loi, la France ne se serait pas réconciliée.»

CHRONOLOGIE

1548	Le 20 octobre, mariage de Jeanne d'Albret et Antoine de Bourbon.
1553	Le 13 décembre, naissance d'Henri au château de Pau.
1555	Mort d'Henri d'Albret, son grand-père.
1559	Mort du roi de France, Henri II, auquel succède le jeune François II.
1560	Mort de François II. Avènement de Charles IX, enfant. Régence de Catherine de Médicis. Premiers troubles religieux (la conjuration protestante d'Amboise).
1561	Premier séjour d'Henri à la cour de France. Échec du colloque de Poissy destiné à arbitrer les différends religieux.
1562	Le 1er mars, début des guerres de Religion avec le massacre de Wassy. Le 17 novembre, mort d'Antoine de Bourbon au siège de Rouen.
1563	Meurtre de François de Guise.
1564-1566	Voyage de la cour à travers la France, auquel participe Henri.
1567	Jeanne d'Albret enlève Henri de la cour de France et le ramène en Béarn. Révolte des Hollandais protestants contre le joug espagnol.
1569	Défaites protestantes de Jarnac et de Moncontour. Investiture d'Henri comme chef symbolique du parti protestant.
1570	Paix de Saint-Germain.
1572	Entrée de Maximilien de Béthune (futur Sully) dans l'entourage d'Henri.

	Le 9 juin, mort de Jeanne d'Albret. Le 18 août, noces à Paris de Henri de Navarre et de Marguerite de Valois. Le 24 août, massacre de la Saint-Barthélemy. Début de la captivité d'Henri à la Cour.
1573	Première assemblée autonome des villes protestantes.
1574	Mort de Charles IX. Avènement de Henri III.
1576	Le 4 février, Henri s'enfuit de la Cour. Création de la première Ligue.
1578	Marguerite de Valois rejoint Henri à la cour de Nérac.
1582	Henri rencontre Corisande.
1584	Mort du duc d'Alençon, frère d'Henri III. Henri, prince de Navarre, est désormais l'héritier présomptif du trône. La Ligue est réactivée par Henri de Guise. Alliance d'Henri III et de la Ligue.
1587	Bataille de Coutras.
1588	Henri III est chassé de Paris par la Ligue. Assassinat du duc de Guise sur l'ordre d'Henri III.
1589	Mort de Catherine de Médicis. Réconciliation d'Henri III et d'Henri de Navarre. Le 1er août, assassinat d'Henri III. Avènement d'Henri IV. Victoire d'Arques mais échec d'une tentative de siège de Paris.
1590	Victoire d'Ivry. Rencontre de Gabrielle d'Estrées. Blocus de Paris.
1593	Le 25 juillet, abjuration d'Henri IV à Saint-Denis.
1594	Le 27 février, sacre d'Henri IV à Chartres. Le 22 mars, entrée dans Paris. Le 27 décembre, tentative d'assassinat par Jean Chastel.
1595	Victoire de Fontaine-Française sur les Espagnols.
1596	Ralliement des princes ligueurs. Entrée de Sully au Conseil des finances. Assemblée des notables de Rouen.
1597	Amiens est conquise par les Espagnols puis reprise par Henri.

1598	Derniers ralliements des princes ligueurs (le duc de Mercœur en Bretagne). Le 13 avril, édit de Nantes. Le 2 mai, traité de Vervins.
1599	Le 10 avril, mort de Gabrielle d'Estrées. Sully, surintendant des finances. Liaison avec Henriette d'Entragues.
1600	Le 17 décembre, mariage avec Marie de Médicis.
1601	Cession par la Savoie de la Bresse et du Bugey à la France. Le 27 septembre, naissance

du Dauphin, futur Louis XIII.

1602	Traité avec les cantons suisses.
1605	Échec de la révolte du duc de Bouillon. Sully élevé à la dignité ducale.
1607	Édit sur la voirie.
1609	Liaison avec Charlotte de Montmorency. Essai de réforme monétaire. Crise de succession des duchés de Juliers et de Clèves.
1610	Préparatifs de guerre. Le 13 mai, sacre de Marie de Médicis. Le 14 mai, assassinat d'Henri IV.

BIBLIOGRAPHIE

- Aubigné, Agrippa d', *Œuvres*, «Bibliothèque de la Pléiade», Gallimard, 1969.
- Babelon, Jean-Pierre, *Henri IV*, Fayard, 1982.
- Babelon, Jean-Pierre (choix et présentation), *Henri IV, lettres d'amour et écrits politiques*, Paris, 1988.
- Barbiche, Bernard, *Sully*, Fayard, 1978.
- Bayrou, François, *Henri IV, le roi libre*, Flammarion, 1994.
- Cazaux, Yves, *Henri IV*, 2 tomes, (1977-1986), Fayard.
- Desprat, Jean-Paul, *Les Bâtards d'Henri IV*, Perrin, 1994.
- Erlanger, Philippe, *La Vie quotidienne sous Henri IV*, Hachette, 1970.
- Estoile, Pierre d', *Journal*, 3 volumes, collection «Mémoire du passé pour servir au temps présent», Gallimard, 1958.
- Garrisson, Janine, *Henri IV, le roi de la paix*, Tallandier, 2000.
- Garrisson, Janine, *La Saint-Barthélemy*, Complexe, 1987.
- «Henri de Navarre et le royaume de France 1572-1589», numéro exceptionnel de la *Revue de Pau et du Béarn*, 1984 (n° 12).
- *Henri IV et la reconstruction du royaume*, catalogue d'exposition, Réunion des musées nationaux, 1989.
- Heroard, Jean, *Journal*, 2 volumes, Fayard, 1989.
- Lebigre, Arlette, *La Révolution des curés, Paris, 1588-1594*, Albin Michel, 1980.
- *L'Édit de Nantes*, catalogue d'exposition, Réunion des musées nationaux, 1998.
- Léonard, Émile, *Histoire générale du protestantisme*, PUF Quadrige, 1998.
- Le Roy Ladurie, Emmanuel, «L'État royal de Louis XI à Henri IV, 1460-1610», in *Histoire de France*, Hachette, 1987.
- *1594, Le Sacre d'Henri IV à Chartres*, catalogue d'exposition, musée des Beaux-Arts de Chartres, 1994.
- Mousnier, Roland, *L'Assassinat d'Henri IV*, collection «Les Trente journées qui ont fait la France», Gallimard, 1964.
- Murat, Inès, *Gabrielle d'Estrées*, Fayard, 1992.
- Ritter, Raymond, *Charmante Gabrielle*, Albin Michel, 1947.
- Ritter, Raymond, *Une dame de chevalerie, Corisande d'Andoins*, Albin Michel, 1959.
- Sully, Maximilien de Bethune, duc de, *Mémoires*, Collection «Mémoire du passé pour servir au temps présent», Gallimard, 1942.
- Vaissière, Pierre de, *Henri IV*, Fayard, 1928.
- *Voltaire et Henri IV*, catalogue d'exposition, Réunion des musées nationaux, 2001.

MUSÉOGRAPHIE

Le musée national du château de Pau, ancienne propriété des vicomtes de Béarn, conserve, entre autres, un ensemble exceptionnel, en constant accroissement, d'œuvres d'arts et de documents illustrant l'histoire et la légende d'Henri IV. Cet ensemble est présenté dans le cadre de la visite du musée ou de ses expositions temporaires, et mis à la disposition des chercheurs par le Centre Jacques De Laprade, dont les collections regroupent une importante documentation (tapisseries, objets d'art, mobilier), une bibliothèque de plus de 8 000 ouvrages et un fonds iconographique riche de 5 000 estampes, 400 dessins, 100 monnaies et médailles.
Le musée du Louvre et les châteaux de Versailles et de Trianon conservent également de nombreuses œuvres relatives à Henri IV.

Musées municipaux, Padoue.

74 Jacopo Da Empoli, dit Chimenti, *Noces par procuration de Marie de Médicis*, peinture. Musée des Offices, Florence.

75 Alessandro Allori (1535-1607), *Marie de Médicis*, peinture. Kunsthistorisches Museum, Vienne.

CHAPITRE 5

76 École anglaise (?), *Henri IV*, huile sur toile, XVIIᵉ siècle. Musée national du Château, Pau.

77 «Henri IV et la poule au pot», illustration de Job, in *Petite histoire de France* de J. Bainville, 1929.

78 Ordonnance d'Henri IV prescrivant la bonne entente entre ses sujets, manuscrit, 1594. Musée Condé, Chantilly.

79 École de Fontainebleau, *La Foi, l'Espérance et la Charité*, huile sur bois, fin XVIᵉ siècle. Musée des Beaux-Arts, Nantes.

80 Guillaume Dupré (1576-1643) (d'après), médaille avec Henri IV et Marie de Médicis, bronze, XIXᵉ siècle. Musée de la Renaissance, Écouen.

80-81 Naissance de Louis XIII le 27 décembre 1601, gravure, XVIIᵉ siècle. Bibliothèque des Arts décoratifs, Paris.

82 École française, *Le Receveur des contributions*, dessin, XVIᵉ siècle. Musée du Louvre, Paris.

83 Anonyme, *Le Duc de Sully*, peinture, XVIIᵉ siècle, provenant du château de Saint-Germain-Beaupré. Musée de Blois.

84 Les bons avocats et procureurs et arbitres charitables établis par l'ordonnace du roi Henri IV du 6 mars 1610 pour la défense gratuite des pauvres, gravure, XVIIᵉ siècle.

85 Alexandre Menjaud (1773-1832), *Henri IV chez le meunier Michaud*, huile sur toile, 1806. Musée national du Château, Pau.

86 «La vie agricole», in *Théâtre d'agriculture et mesnage des champs* d'Olivier de Serres, gravure, 1600. BnF, Paris.

87h Karel Van Mallery, Page de titre du *Théâtre d'agriculture et mesnage des champs* d'Olivier de Serres, gravure, 1600. *Idem.*

87b «L'élevage des vers à soie», in *Bref discours contenant la manière de nourrir les vers à soie* de Jean-Baptiste Le Tellier, Paris, 1602, gravure de P. Galle d'après Stradan. *Idem.*

88h École française, *La Place Royale et le Carrousel de 1612 à l'occasion des fiançailles de Louis XIII et Anne d'Autriche*, peinture, XVIIᵉ siècle. Musée Carnavalet, Paris.

88b École française, *Henri IV en pourpoint perlé*, huile sur toile, début XVIIᵉ siècle. Musée de Grenoble.

89 École française,

Grand projet pour le Louvre tel que Henri IV l'aurait désiré, peinture, vers 1600. Château de Fontainebleau.

90-91 École française, *Déjeuner d'Henri IV et de sa famille dans la forêt de Fontainebleau*, peinture, XVIIᵉ siècle. Musée des Beaux-Arts, Nantes.

92 Pierre-Henri Revoil (1776-1842), *Henri IV jouant avec ses enfants*, huile sur toile. Musée du national du Château, Pau.

93g Frans II Pourbus (1569-1622), Portrait de Gaston d'Orléans enfant, huile sur toile. Musée des Offices, Florence.

93m D. Dumonstier (1574-1646), Portrait de César, duc de Vendôme, dessin. Musée des Arts décoratifs, Paris.

93d Frans II Pourbus (1569-1622), Portrait de Louis XIII, peinture, XVIIᵉ siècle. Agnew and Sons, Londres.

94 Michel Bourdin, effigie funéraire de Henri IV, cire, 1610. Musée Carnavalet, Paris.

95 Charles-Gustave Housez (1822-80), *Assassinat d'Henri IV et arrestation de Ravaillac le 14 mai 1610*, huile sur toile, 1860. Musée national du Château, Pau.

96 Pierre Paul Rubens (1577-1640), *Le Couronnement de Marie de Médicis le 13 mai 1610* (détail), huile sur toile. Musée du Louvre, Paris.

TÉMOIGNAGES ET DOCUMENTS

97 Goltrius, Portrait d'Henri IV à 40 ans, gravure, fin XVIᵉ siècle. BnF, Paris.

103 École de Fontainebleau, *Gabrielle d'Estrées et une de ses sœurs*, huile sur bois, fin XVIᵉ siècle. Musée du Louvre, Paris.

105 Lettre d'Henri IV à la marquise de Verneuil, manuscrit.

106 L. Gaultier, *Les Enfants d'Henri IV et de Marie de Médicis*, gravure, XVIIᵉ siècle.

111 Étienne Garnier (1759-1849), *Henri IV, accompagné de Marie de Médicis et de Sully, se fait présenter les plans de construction des galeries du Louvre*, peinture, 1819. Châteaux de Versailles et de Trianon.

112 École flamande, *Henri IV à cheval devant Paris*, peinture, fin XVIᵉ siècle. Musée Carnavalet, Paris.

118 Nouvelle statue d'Henri IV par Lemot transportée jusqu'au Pont-Neuf en 1818 pour remplacer la statue initiale abattue et détruite en août 1792, gravure, XIXᵉ siècle. Musée Carnavalet, Paris.

120 Maquette de carrosse présumé d'Henri IV, réduction exécutée par M. Leloir. Musée national de la voiture et du tourisme, Compiègne.

INDEX

CRÉDITS PHOTOGRAPHIQUES

AKG/Cameraphoto, Paris 73. AKG/Éric Lessing, Paris 36d. Bibliothèque nationale de France, Paris 17, 19, 24, 29b, 34, 36g, 38, 48-49, 53, 54-55. Bibliothèque publique et universitaire, Genève 25. Bridgeman-Giraudon, Paris 16g, 16d, 75, 78, 88h, 93g, 93d. Bridgeman-Lauros-Giraudon, Paris 29h, 66, 68h. Jean-Loup Charmet, Paris 80-81, 93m. Collection particulière 12. Dagli Orti, Paris 21, 27, 65, 90-91, 120. Édigraphie 15, 69. Édimédia, Paris 30-31. Archives Gallimard Jeunesse, Paris 38-39, 40h, 42, 44-45, 52b, 55. Éric Guillemot/Gallimard, Paris 37. Kharbine-Tapabor, Paris 77. Ministère des Affaires étrangères/Christelle Rousseau, Paris 71. Musée d'Art et d'Histoire de la Ville de Meudon 56-57. Musée des Beaux-Arts de Chartres/François Vélard 70. Musée des Beaux-Arts, Nantes/ A. Guillard 79. Musée de Grenoble 88b. Photothèque des Musées de la Ville de Paris/Berthier 42-43. Photothèque des Musées de la Ville de Paris/Ladet 112. Photothèque des Musées de la Ville de Paris/Toumazet 44, 94. Réunion des Musées nationaux, Paris Dos, 11, 13, 20, 22, 26, 47, 58-59, 64. RMN/D. Arnaudet 23, 60-61, 70-71, 111. RMN/J. G. Berizzi 66-67. RMN/Gérard Blot 14, 28, 80, 82. RMN/G. Blot/J. Schormans 89. RMN/Harry Bréjat 72. RMN/Bulloz 60. RMN/C. Jean/ H. Lewandowski 96. RMN/Hervé Lewandowski 41, 95. RMN/El Meliani 52h. RMN/R. G. Ojeda 1er plat, 2e plat, 18h, 18b, 35, 48, 50-51, 62, 76, 85, 92, 103. RMN/R. G. Ojeda/Hubert 46. RMN/Sorbé 43. Roger-Viollet, Paris 68b. ND-Viollet, Paris 63, 97. Collection Viollet, Paris 31, 83, 84, 87h, 105, 106, 118. Scala, Florence 1, 2-3, 4-5, 6-7, 8-9, 32, 33, 40b, 74. Archives Tallandier, Paris 86, 87b.

REMERCIEMENTS

Les auteurs tiennent à remercier tout particulièrement Marie-Odile de Castilla. L'éditeur adresse ses remerciements à Lucie Abadia, historienne, documentaliste au Musée national du Château de Pau.

ÉDITION ET FABRICATION

DÉCOUVERTES GALLIMARD
COLLECTION CONÇUE PAR Pierre Marchand. DIRECTION Élisabeth de Farcy.
COORDINATION ÉDITORIALE Anne Lemaire. GRAPHISME Alain Gouessant.
SUIVI DE PRODUCTION Fabienne Brifault-Dandé. SUIVI DE PARTENARIAT Madeleine Gonçalves.
PRESSE Béatrice Foti et Pierre Gestède.

HENRI IV, LE RÈGNE DE LA TOLÉRANCE
ÉDITION Caroline Larroche et Charlotte Ecorcheville. MAQUETTE ET MONTAGE Riccardo Tremori.
ICONOGRAPHIE Charlotte Ecorcheville. LECTURE-CORRECTION Jocelyne Marziou et Sylvie Klein.
PHOTOGRAVURE André Michel.

Jean-Paul Desprat, né en 1947, docteur d'État en droit, licencié en histoire, travaille dans le groupe Saint-Gobain. Il est l'auteur de biographies et de romans. Il a notamment publié *Les Bâtards d'Henri IV* (Perrin, 1994) et *Le Cardinal de Bernis* (Perrin, 1999).

Jacques Thibau (1928-1997), ancien élève de l'ENA. Diplomate (ambassadeur à Bruxelles, Lagos et Athènes), historien et homme de télévision. Il a notamment publié *Le Monde (1944-1996), un journal dans l'histoire* (Plon, 1996), et *Le Temps de Saint-Domingue, l'esclavage et la Révolution* (Lattès, 1989).

Dépôt légal : novembre 2001
Numéro d'édition : 80723
ISBN : 2-07-053408-1
Imprimerie Moderne de l'Est
25110 Baume-Les-Dames
Numéro d'impression : 15376